LE VEUF

ŒUVRES DE GEORGES SIMENON
DANS PRESSES POCKET

« *Les Maigret* »

Le chien jaune
L'ombre chinoise
L'affaire Saint-Fiacre
Le fou de Bergerac
Maigret
Le charretier de la Providence
Un crime en Hollande
La nuit du carrefour
La tête d'un homme
Monsieur Gallet décédé
La guinguette à deux sous
Pietr le Letton
Liberty-Lar
La danseuse du Gai-Moulin
Le pendu de Saint-Phollien
L'écluse numéro un
Le port des brumes
Chez les Flamands

« *Les romans* »

Les fiançailles de Monsieur Hire
Le coup de lune
La maison du canal
L'homme de Londres
Les gens d'en face
Le passager du Polarlys
Le relais d'Alsace
Au rendez-vous des Terre-Neuvas
Le haut-mal
L'âne rouge
Les treize coupables
Les treize énigmes
Les treize mystères
Pedigrée
Mémoires intimes

Georges SIMENON

LE VEUF

PRESSES DE LA CITÉ

ISBN 2-266-04585-7

A Pierre-Nicolas-Chrétien SIMENON

PREMIERE PARTIE

LES QUATRE MURS

CHAPITRE

1

IL N'AVAIT PAS PLUS de prémonition que les voyageurs qui, dans un train, mangent au wagon-restaurant, lisent, bavardent, sommeillent ou regardent défiler la campagne quelques instants avant la catastrophe. Il marchait, sans s'étonner de l'aspect de vacances que Paris venait de prendre presque du jour au lendemain. N'en est-il pas ainsi tous les ans, à la même époque, avec les mêmes journées de chaleur pénible et le désagrément des vêtements qui collent à la peau?

A six heures de l'après-midi, il vivait encore dans une sorte d'innocence qui se traduisait surtout par un certain vide. Qu'aurait-il pu répondre, si on lui avait demandé à brûle-pourpoint à quoi il pensait en faisant de grands pas lents et mous, dominant de la tête la plupart des passants?

Qu'avait-il vu, de la rue François-Ier, où il

était resté plus d'une heure dans des bureaux, à discuter de son travail, au faubourg Saint-Honoré, où il avait touché un chèque, puis encore tout le long du chemin jusqu'à l'*Imprimerie de la Bourse* et enfin de là à la porte Saint-Denis?

Il aurait été bien en peine de répondre. Il y avait des cars de touristes, certes, surtout vers la Madeleine et l'Opéra. Il le savait parce que c'était la saison, mais pas un seul ne l'avait frappé particulièrement et il n'aurait pas pu en dire la couleur. Sans doute des bleus, des rouges, des jaunes. Et aussi, sur les trottoirs, des hommes sans veston, sans cravate, avec des chemises à manches courtes, à col ouvert, puis, par-ci par-là, des Américains en complet blanc ou crème.

Il n'avait rien enregistré de précis. Ou plutôt si. Rue du 4-Septembre, il s'était arrêté une première fois pour s'éponger, car il transpirait abondamment et portait le même complet hiver comme été. Par discrétion, par pudeur, il avait feint de regarder une vitrine, celle, par hasard, d'un chapelier et, parmi les chapeaux, son regard avait accroché un canotier, le seul exposé, pareil à celui que son père portait à Roubaix au temps où, le dimanche matin, il promenait ses enfants en les tenant par la main. L'espace d'un instant, il s'était demandé, sans y attacher d'importance, si la mode des canotiers revenait, s'il y céderait et, dans ce cas, de quoi il aurait l'air ainsi coiffé.

Une seconde fois il était resté, en arrêt à un

feu rouge et, dans la file de voitures qui avançaient au pas, il avait suivi des yeux un homme qui poussait une charrette à bras chargée d'une caisse assez grande pour contenir un piano. L'idée de piano l'avait préoccupé quelques secondes, puis il avait regardé en hochant la tête une jeune fille fort peu habillée, seule dans une immense voiture découverte.

Il n'avait pas relié ces images entre elles, n'avait tiré aucune conclusion. Il avait certainement vu des terrasses, senti, chaque fois, en passant, l'odeur de bière. Que retrouverait-il encore, même en cherchant bien? C'était presque comme s'il n'avait pas vécu.

Et, dans son quartier, où le décor lui était encore plus familier, où il tenait ce qui l'entourait pour acquis, il n'avait pratiquement rien vu.

Pour atteindre son logement, au deuxième étage d'un immeuble du boulevard Saint-Denis, entre une brasserie et une grande bijouterie spécialisée dans les pendules, il avait le choix entre deux entrées. Côté boulevard, une voûte basse, un tunnel sombre et humide que les passants ne remarquaient pas, tout à côté de la brasserie, conduisait à une cour pavée, de deux mètres sur trois, où, derrière les vitres sales, la concierge gardait toute l'année la lampe allumée.

Il pouvait aussi passer par la rue Sainte-Apolline et, après l'atelier de l'emballeur, emprunter un couloir qui ressemblait davantage à l'entrée d'une vraie maison.

Interrogé quelques mois plus tard, aux Assises par exemple, où cela deviendrait une question de vie et de mort, il aurait hésité à affirmer sous la foi du serment qu'il avait emprunté un chemin plutôt que l'autre.

Cela n'arriverait pas. Il n'en était pas question. Le chemin suivi n'avait pas d'importance, ni le fait que la concierge ait été ou non dans son trou.

L'escalier était obscur. Des marches craquaient plus que d'autres. Il les connaissait. Il avait toujours connu les murs du même jaune triste et les deux portes brunes, au premier. Celle de droite portait une plaque d'émail : *Maître Gambier, huissier*. Derrière celle de gauche, on entendait des rires, des bribes de chansons; il savait, pour avoir trouvé parfois cette porte ouverte, qu'une dizaine de gamines de quinze ou seize ans travaillaient à confectionner des fleurs artificielles.

Il montait du même pas régulier et lent qu'il marchait. Les gens qui croyaient qu'il essayait ainsi de se donner une certaine solennité se trompaient. Ce n'était pas à son embonpoint, à son poids non plus qu'il devait sa démarche. Il s'était appliqué à marcher de cette façon-là vers l'âge de douze ans, quand il en avait eu assez d'être traité de pied-bot par ses camarades.

— Pourquoi n'en faites-vous pas un cordonnier? avait-il entendu dire une fois à sa mère par une voisine. La plupart des pieds-bots deviennent cordonniers.

Il n'était pas vraiment pied-bot. Il était né avec une jambe moins forte, un peu plus courte que l'autre, et, tout jeune, ses parents lui avaient acheté des chaussures orthopédiques dont l'une comportait des supports de métal.

Seul, sans rien dire, il s'était appliqué à marcher d'une certaine façon et, après quelques années, il pouvait porter des souliers qui ressemblaient à des souliers ordinaires. Il ne boitait plus.

Il n'y pensait pas ce jour-là, ni à rien d'autre en particulier. Il n'était pas fatigué. Il n'avait pas soif, bien qu'il ne se fût arrêté dans aucun café.

Ni rue François-Ier, à *Art et Vie,* où on avait accepté ses maquettes, ni chez les frères Blumstein, faubourg Saint-Honoré, où il avait touché son chèque, il ne s'était rien passé de désagréable. A plus forte raison à l'*Imprimerie de la Bourse* où, dans les ateliers presque vides, il avait terminé la mise en pages d'une plaquette publicitaire.

Il n'eut pas le réflexe, sur le palier, de prendre sa clef qui, au bout d'une chaîne, se trouvait dans sa poche. Jeanne devait être là. Il tourna le bouton. Le courant d'air indiqua qu'une fenêtre au moins était ouverte et cela ne le surprit pas non plus. Le vacarme du boulevard Saint-Denis s'engouffrait dans les pièces qui, basses de plafond, formaient caisse de résonance et, parce qu'il y était habitué, cela ne le dérangeait plus. Il était insensible au bruit. Aux courants d'air aussi. Et, le soir et la nuit, il ne remarquait plus l'enseigne au néon violet du marchand de pendules qui clignotait à intervalles réguliers comme un phare.

Il dit, par habitude, en posant sa serviette de cuir, puis son chapeau, sur la table à dessin :

— C'est moi.

Sans doute est-ce alors que tout commença, pour lui en tout cas. Il aurait dû entendre un bruit de chaise remuée dans la salle à manger, dont la porte était ouverte, des pas, la voix de Jeanne en écho à la sienne. Il attendit, immobile, surpris, mais sans inquiétude.

— Tu es là?

Même si elle s'était tenue dans la cuisine, des sons auraient trahi sa présence car, en dehors de la pièce principale, qu'il appelait l'atelier, le logement était exigu.

Il ne retrouva pas, plus tard, ce qu'il avait pensé à ce moment-là. Il avait fini par s'avancer vers la porte. L'aspect de la salle à manger l'avait frappé désagréablement.

Si son atelier, qui lui servait de chambre, n'était pas un véritable atelier, la salle à manger n'était pas non plus une vraie salle à manger. On y prenait certes les repas, mais le lit pliant de Jeanne, en fer, était rangé contre le mur, mal camouflé par un ancien dessus de table de velours rouge. Dans un coin, près de la radio, il y avait une machine à coudre et, certains jours, on tirait la planche à repasser de son placard.

Il aurait dû trouver au moins une sorte de désordre, selon ce que Jeanne avait fait cet après-midi-là : ou bien le couvercle de la machine enlevé, laissant voir des bouts de tissus et de fil, ou bien, sur la table, un ouvrage quelconque, un patron de robe en papier brun, des magazines, des petits pois à écosser.

La cuisine, minuscule, avec une lucarne ronde en guise de fenêtre, était vide et il n'y avait pas de casserole sur le réchaud à gaz, rien dans l'évier, pas même un couteau à éplucher les légumes sur la toile cirée à carreaux de la table.

Elle ne lui avait rien dit. Elle n'était pas dans la salle de bains qu'il avait eu tant de mal à aménager, six ans plus tôt, à l'emplacement du cabinet noir.

Il revint chez lui, c'est-à-dire dans l'atelier, accrocha son chapeau à sa place, derrière la porte, au-dessus de l'imperméable qui n'avait pas servi depuis trois semaines.

Avant de s'asseoir, il s'épongea soigneusement, son regard errant sur les toits des autobus qui, bout à bout, formaient une masse presque compacte, puis sur une grappe humaine qui, au coin du boulevard, se disloquait soudain pour s'élancer à travers le carrefour.

A vrai dire, il ne savait que faire. Assis dans son fauteuil de cuir, les jambes allongées, il fixait, en face de lui, l'horloge à balancier de cuivre marquant six heures et demie. Inconsciemment, sa main chercha, sur la table, le journal du soir qui aurait dû s'y trouver, car Jeanne descendait d'habitude vers cinq heures pour l'acheter en même temps que ce qui lui manquait pour le dîner.

C'était déroutant. Pas encore dramatique, ni angoissant. La sensation était seulement déplaisante. Il n'avait pas l'habitude d'être déçu et il n'aimait pas que sa tranquillité dépendît de qui que ce fût, y compris Jeanne.

Il alluma une cigarette. Il en fumait dix par jour. Sa gorge était sensible et, sans être maniaque, il prenait soin de sa santé. Il tressaillait de temps en temps : les bruits qui pénétraient dans le logement n'avaient pas la même sonorité que les autres jours. Il aurait dû être plongé dans la lecture de son journal, fumant la même cigarette, la huitième, les deux dernières étant réservées pour après le dîner.

Il manquait des pas, des allées et venues dans la cuisine, la silhouette, dans l'encadrement de la porte, de Jeanne venant parfois le regarder en silence.

S'ils se parlaient peu, chacun, à n'importe quel moment, savait la place exacte que l'autre occupait dans le logement et ce qu'il faisait.

— Elle sera montée chez Mlle Couvert! se dit-il enfin, soulagé.

C'était bête de ne pas y avoir pensé plus tôt. Mlle Couvert, qui avait soixante-cinq ans et qui, à cause de ses yeux, ne quittait guère son appartement, habitait juste au-dessus d'eux et, depuis quatre ans, un enfant qui devait appartenir à sa famille, un orphelin, si Jeantet avait bien compris, vivait avec elle.

S'il n'était pas mieux renseigné sur le gamin, c'est qu'il n'écoutait que d'une oreille distraite les explications qu'on lui donnait, moins par indifférence envers les autres que par discrétion, par pudeur.

Le garçon s'appelait Pierre, avait dix ans et demandait souvent la permission de descendre et de s'installer en face de Jeanne pour faire ses devoirs.

D'autres fois, Jeanne montait donner un coup de main à la vieille demoiselle qui, si elle cousait encore, n'osait plus couper.

C'était simple. Il n'avait qu'à regarder sur la table de la salle à manger. Elle avait dû lui laisser un mot, comme d'habitude dans ces cas-là : *Je suis chez Mlle Couvert. Je descends tout de suite.*

Il en était si sûr qu'il attendit de finir sa cigarette pour aller voir dans la pièce voisine. Il n'y avait pas de billet. Il regarda dans la penderie. Sa femme n'avait pas tant de vêtements qu'il fût difficile de savoir ce qu'elle portait ce jour-là. En outre, comme elle faisait ses robes et ses manteaux elle-même, il avait le tissu sous les yeux, prenant forme petit à petit, pendant des jours et parfois des semaines.

En tout cas, elle ne s'était pas habillée pour une vraie sortie, pour ce qu'elle appelait aller en ville, car ses deux bonnes robes étaient là ainsi que son tailleur d'été jaune paille. Elle devait être vêtue de la petite robe noire qu'elle finissait d'user dans la maison, chaussée des vieux souliers qui lui servaient de pantoufles.

Elle était donc quelque part dans le quartier. Ou encore elle se trouvait en haut et avait oublié de lui laisser le billet. Il aurait pu monter, frapper à la porte de Mlle Couvert. Comme cela ne lui était jamais arrivé, sa démarche prendrait trop d'importance.

Il pouvait aussi descendre, questionner la concierge. Il est vrai que celle-ci et Jeanne ne se parlaient pas et qu'en sortant par la rue Sainte-Apolline on ne passait pas devant la loge. Ce n'était pas une maison comme les autres. La concierge n'était pas tout à fait une concierge. La plupart du temps, elle aidait son mari à rempailler des chaises dans la cour humide et la loge ne servait guère qu'à recevoir le courrier des locataires.

Il profita de ce qu'il était debout pour aller boire un verre d'eau dans la cuisine, laissant couler le robinet assez longtemps pour que l'eau soit fraîche.

L'idée ne lui venait pas de travailler, ni de lire. Il hésitait à se rasseoir. Son atelier lui paraissait moins accueillant que les autres jours. Dieu sait pourtant s'il en connaissait les moindres aspects ! Il avait placé chaque chose, jusqu'au plus humble objet, de façon à obtenir le maximum de satisfaction et il y avait réussi.

Avec quatre murs, ou plutôt six, car il y avait, côté rue Sainte-Apolline, un recoin, une sorte d'alcôve, où un divan lui servait de lit, il avait su créer un univers qui lui convenait et qui lui semblait fait à son image.

Les murs étaient d'un blanc cru, comme dans une cellule de moine, et deux tables à dessiner, la grande et la petite, évoquaient un travail artisanal, lent, paisible, harmonieux.

S'il ne peignait pas des Vierges, à la façon de Fra Angelico, il ne mettait pas moins de ferveur à dessiner des lettres, des titres pour des magazines de luxe comme *Art et Vie,* des lettrines et des culs de lampe pour des ouvrages à tirage limité.

En outre, depuis plusieurs années, il s'était attelé à une œuvre de longue haleine, la création d'un nouveau caractère typographique, comme il en naît une fois par vingt ou par cinquante ans, et qui porterait son nom.

Dans les imprimeries, les journaux, on dirait couramment : un Jeantet, comme on dit un Elzévir, un Auriol, un Naudin...

Certaines lettres, agrandies, tracées, d'un beau noir, à l'encre de Chine, commençaient à recouvrir les murs.

Il ne les regardait pas, ne regardait pas non plus le dos argenté des autobus qui, vus d'en haut, ressemblaient à des baleines, ni la porte Saint-Denis que le soleil dorait comme de la terre cuite.

Il s'était résigné à se rasseoir. « Son » fauteuil, qu'il avait fini par dénicher à la Foire aux Puces après des mois de recherches, avait une histoire.

Chaque objet avait la sienne, y compris l'horloge au cadran glauque, aux chiffres romains de l'époque Louis-Philippe qui, à présent, marquait sept heures.

On le prenait souvent pour un mou, il le savait, et c'était vrai que son grand corps paraissait sans consistance. S'il n'était pas gros, encore moins obèse, il semblait manquer de l'armature rigide d'un squelette. Toutes les lignes étaient courbes, fuyantes, et il en était déjà ainsi quand, gamin, il allait à l'école et qu'à la récréation il s'essoufflait plus vite que les autres.

Les gens ne pouvaient pas deviner qu'il était aussi nerveux qu'eux, plus peut-être, qu'à la moindre émotion il ressentait comme une panique intérieure. Son sang ne semblait plus suivre sa route normale; des choses vagues et mystérieuses bougeaient dans sa poitrine; par moments, un doigt devenait sensible, douloureux, comme pris de crampe, puis soudain c'était une épaule qui se raidissait, et cela finissait presque toujours par une chaleur déplaisante à la base du crâne.

Il ne s'en effrayait pas, n'en parlait à personne, pas même au médecin, à plus forte raison à Jeanne. Il se calmait seul. Il y avait longtemps, d'ailleurs, que cela ne lui était pas arrivé, ou alors ça avait été très faible, à la suite d'une contrariété, surtout d'une humiliation. Ce n'était pas tout à fait le mot. La crise venait plus précisément, quand il avait l'impression qu'on le méconnaissait, qu'on l'écrasait d'une façon injuste, qu'on s'acharnait à lui faire mal.

Il aurait suffi qu'il dise un mot. Il le cherchait, s'efforçait d'avoir le courage de le prononcer, et c'était la sensation de son impuissance qui provoquait tout à coup la débâcle.

Ce n'était pas le cas en ce moment. Il ne se passait rien. Jeanne allait rentrer. Il guettait son pas dans l'escalier. En pensée, il la voyait monter, s'arrêter sur le palier, ouvrir son sac...

Un détail le frappait : il n'avait pas eu besoin de sa clef pour entrer. Or, il ne se souvenait pas d'une seule fois que Jeanne fût sortie sans fermer la porte à double tour.

— Dans un quartier comme celui-ci... disait-elle.

Lui n'avait jamais eu peur des voleurs.

Il y avait plus d'une heure qu'il l'attendait, donc qu'elle était dehors. Un événement s'était produit, pas nécessairement grave, mais inattendu. Il ne pouvait plus rester là, dans son fauteuil. Pour se desserrer la gorge, il alla dans la cuisine boire un second verre d'eau, puis il sortit, sans prendre son chapeau, sans fermer la porte à clef.

N'osant pas encore monter chez Mlle Couvert, il descendit les deux étages, se dirigea vers la courette où la lampe de la loge faisait une tache jaunâtre derrière la vitre sale. Il frappa sans regarder à l'intérieur, car un coup d'œil lui avait montré le mari, assis sur une chaise, qui prenait un bain de pieds près de la table où les couverts étaient mis pour le dîner.

— Mélanie ! cria l'homme immobile.

Et une voix, venant de derrière un rideau qui servait de cloison :

— Qu'est-ce que c'est?

— Un locataire.

— Que veut-il?

— Je ne sais pas.

Ce fut son premier étonnement et il eut l'impression d'une découverte. Il est vrai qu'il venait rarement frapper à la porte de la loge. Il voyait tout à coup deux êtres humains vivre dans ce terrier mal éclairé, à vingt mètres de la foule déambulant sur le Boulevard et des gens qui buvaient à la terrasse de la brasserie où, le samedi soir et le dimanche, jouait un orchestre de quatre ou cinq musiciens.

La femme sortait de l'ombre, petite, cassée, l'œil dur d'un animal qui se méfie. Elle n'ouvrait pas la porte, se contentait d'écarter une vitre qui formait guichet.

— Si j'avais du courrier pour vous, je l'aurais monté.

— Je désirerais vous demander...

— Eh bien! dites-le! Qu'est-ce que vous voulez?

Il était découragé d'avance.

— Seulement si vous avez vu sortir ma femme...

— Je ne m'occupe pas des allées et venues des locataires, encore moins de ce que font les femmes.

— Je suppose qu'elle ne vous a rien dit?

— Si elle m'avait dit quelque chose, j'en aurais eu autant à lui servir!

— Je vous remercie.

Il ne prononçait pas ces mots avec ironie, mais par habitude, parce que c'était dans son caractère. Elle venait de le blesser sans raison. Il ne lui en voulait pas. Si quelqu'un avait tort, c'était lui. Il suivit le passage jusqu'à la trouée lumineuse du Boulevard et, pour calmer son impatience, fit le tour par la porte Saint-Denis et la rue Sainte-Apolline.

C'était un peu comme de passer de l'endroit à l'envers d'un décor. Les mêmes immeubles donnaient des deux côtés. Boulevard Saint-Denis, c'étaient des vitrines attirantes, des restaurants à dorures et, le soir, une orgie d'enseignes lumineuses de toutes les couleurs.

Rue Sainte-Apolline, des artisans, l'emballeur, plus loin l'échoppe d'un savetier à côté d'une blanchisserie où des femmes repassaient toute la journée tandis que, sur le trottoir d'en face, deux ou trois filles aux talons très hauts allaient et venaient devant un hôtel meublé et que des hommes jouaient aux cartes dans la pénombre d'un petit bar.

Personne ne le connaissait. Lui connaissait chaque silhouette, chaque visage, pour les avoir observés de sa fenêtre, celle qui s'ouvrait au-dessus de son divan.

Jeanne n'avait-elle pas eu le temps de rentrer pendant qu'il faisait ainsi le tour? Pour mettre plus de chances de son côté, il décida de recommencer une fois, deux fois. A la troisième, il s'arrêta devant la crémerie où Jeanne se fournissait et qui était encore ouverte. On n'y vendait pas seulement du beurre, des œufs, du fromage, mais des légumes cuits pour les gens qui n'ont pas le temps de cuisiner ou qui, dans les chambres d'hôtel, n'en ont pas le droit.

— Je suppose que vous n'avez pas vu ma femme, madame Dorin?

— Pas depuis ce matin, quand elle est passée en faisant son marché.

— Je vous remercie.

— Vous n'êtes pas inquiet, dites?

— Non. Bien sûr.

En disant cela, il avait envie de pleurer, d'énervement.

C'était un cas de cette sorte d'impuissance qui l'affectait si fort. Jeanne était quelque part. Il n'y avait vraisemblablement rien de grave : un retard, un oubli, un malentendu, une circonstance fortuite.

Qu'est-ce qui l'empêchait, en l'attendant, de monter dîner de ce qu'il trouverait dans le garde-manger? Ou d'entrer dans le premier restaurant venu? Ou encore, s'il n'avait pas faim, de lire dans son fauteuil?

Il oubliait d'acheter le journal du soir, montait chez lui, où il n'y avait toujours personne et où une des fenêtres se colorait de rouge. La journée lui semblait plus longue que les autres. Il était près de huit heures et le soleil n'en finissait pas de se coucher, les gens, aux terrasses, buvaient toujours de la bière et des apéritifs, des hommes continuaient à se promener sans veston.

Jeanne n'était pas sujette à des malaises. Il était improbable qu'elle eût perdu connaissance dans la rue et, même dans ce cas, elle devait avoir sa carte d'identité sur elle. Depuis deux ans, le téléphone était installé dans leur logement.

Il fixa l'appareil, sur la table, en fronçant les sourcils. Si elle était retenue, si elle avait un empêchement, pourquoi ne l'appelait-elle pas?

Fallait-il conclure que, persuadée qu'il irait questionner Mlle Couvert, elle lui avait laissé un message?

Il n'y croyait pas, franchit néanmoins cette partie de l'escalier qu'il ne connaissait pas, vit une plaque de zinc avec le nom de la vieille fille et le mot *Couture*.

Pendant que, sur le paillasson, il hésitait à frapper, il entendit des bruits d'assiettes, la voix du gamin, Pierre, qui demandait avec insistance :

— Tu crois que je pourrai y aller?

— Je ne sais pas encore. Peut-être.

— Est-ce que tu penses que ce sera plutôt oui que non?

— C'est possible. J'aimerais mieux te dire oui tout de suite.

— Pourquoi ne le dis-tu pas?

Il frappa, gêné d'écouter sans le vouloir.

— J'y vais! annonça l'enfant.

Et, d'un coup, la porte s'ouvrit toute grande, les pages d'un illustré frémirent sur un guéridon et même les cheveux gris de la vieille fille qui s'était arrêtée de manger.

— C'est M. Bernard! annonçait Pierre.

— Excusez-moi... Je me demandais si, par hasard, ma femme ne vous avait pas laissé un message pour moi...

Le gamin le regarda avec des yeux d'une acuité qui n'était pas de son âge, puis il regarda Mlle Couvert, hésita à refermer la porte.

— Elle n'est pas rentrée? s'étonnait la couturière.

— Non. Ce qui m'étonne...

A quoi bon expliquer? Jeanne et lui avaient des habitudes qui n'étaient pas forcément logiques et qui pouvaient prêter à sourire. Le mercredi, c'était son jour, à lui, le jour où il faisait la tournée des maisons qui l'employaient, comme il venait de le faire cet après-midi.

Il n'y avait aucune raison, si elle avait des courses, pour que Jeanne ne sorte pas le même jour mais, en fait, après huit ans, à sa connaissance, cela n'était jamais arrivé.

D'ailleurs, elle sortait rarement du quartier et, dans ces cas-là, comme il s'agissait d'emplettes plus ou moins importantes dans les grands magasins de la rue La Fayette ou d'ailleurs, elle en parlait plusieurs jours d'avance.

Elle n'y serait pas allée vêtue de sa vieille robe noire.

— Vous n'entrez pas un moment?

— Non, merci. Elle est sans doute rentrée pendant que je montais ici...

Elle n'était pas rentrée et la lumière, dans l'appartement, changeait à mesure qu'avançaient les aiguilles noires de l'horloge. Dans le ciel, au-dessus des toits, un vert froid remplaçait peu à peu le rose du couchant dont seuls quelques nuages légers portaient encore la trace.

Cela lui fit peur, une peur presque physique et, n'y tenant plus, il décrocha son chapeau, descendit, fonça dans la foule d'un pas plus rapide que d'habitude qui le fit claudiquer.

Pour d'autres, cela aurait été facile : ils n'auraient eu qu'à s'adresser à des parents, à une sœur ou une belle-sœur, à des amis, à des collègues.

Pour eux pas. Il n'y avait personne, en dehors de Mlle Couvert et du gamin qui l'avait regardé partir d'un air songeur.

Les passants, par couples, par familles, envahissaient toute la largeur des trottoirs et s'avançaient avec la lenteur d'un fleuve, ralentissant aux endroits où les terrasses, empiétant sur le passage, formaient des goulots. Les autos devenaient plus rares. Bien qu'il fît encore grand jour, les cinémas s'illuminaient et de maigres queues commençaient à se former devant les guichets.

Quittant le Boulevard, il s'enfonça dans des rues plus calmes où, par-ci par-là, de vieilles personnes avaient apporté des chaises sur le trottoir pour prendre le frais. Des boutiques restées ouvertes répandaient leurs odeurs dans la rue et, partout, on entendait des voix, des bribes de phrases.

Il arriva rue Thorel, aperçut la grisaille du bâtiment officiel, le drapeau qui pendait à sa hampe, les vélos des agents, deux sergents de ville qui sortaient en serrant leur ceinturon. L'un d'eux le regarda comme si son visage lui rappelait quelque chose, finit par enfourcher sa machine sans avoir trouvé la réponse.

Il entra dans le commissariat où, comme chez la concierge, les lampes étaient allumées et où flottait de la fumée de pipes et de cigarettes. Un homme sans âge essayait de s'expliquer par-dessus l'espèce de comptoir en bois noir d'où un képi dépassait.

— Avez-vous, oui ou non, un permis de travail?

— Monsieur l'agent...

C'est à peu près tout ce qu'il savait dire en français. Pour le reste, il employait des mots incompréhensibles, gesticulait, étalait d'une main tremblante à force de fébrilité des papiers qui portaient la trace de doigts sales et qui avaient traîné en vrac au fond des poches.

— ... m'a dit...

— Qui t'a dit?

Du geste, il semblait expliquer qu'il s'agissait de quelqu'un de très grand, ou d'important.

— ... monsieur...

— Il ne t'a quand même pas dit que ceci est un permis de travail?

Aucun papier n'était le bon. Il y en avait de blancs, de roses, de bleus, en français et dans Dieu sait quelle langue étrangère.

— Combien d'argent as-tu?

Il ne comprenait même pas le mot argent et,

derrière lui, une jeune femme impatiente piétinait en faisant des signes à l'agent.

On montrait des billets. L'homme comprenait, en tirait à son tour de sa poche, une pincée, froissés, visqueux, puis quelques pièces qu'il alignait sur le comptoir.

— C'est peut-être assez pour qu'on ne t'inculpe pas de vagabondage, mais ça ne te permettra pas d'aller loin et on sera obligé de te reconduire à la frontière. Où as-tu eu cet argent-là?

— Dites-moi, brigadier, intervenait la jeune femme. Il faut que je sois au théâtre à neuf heures moins le quart et...

Elle portait une robe presque transparente.

— Va t'asseoir là, disait l'agent à l'homme en lui désignant un banc le long du mur.

Il y allait, résigné, sans comprendre, se demandant ce qu'on allait faire de lui. Il venait de quelque part, lui aussi, pour une raison connue de lui seul...

Jeantet se mordit la lèvre. La femme, elle, savait ce qu'elle voulait.

— C'est juste pour légaliser une signature.

— Vous habitez le quartier? Vous avez un certificat de domicile?

— Le voici, signé par la concierge.

Elle ouvrait son sac et une bouffée de parfum s'en échappait.

— Je pars en tournée et j'ai besoin d'un passeport. Alors...

— En tournée, hein!... Ça va!... Repassez demain matin... Le commissaire n'est pas ici à cette heure...

Deux autres agents, figés chacun devant un pupitre, ne faisaient rien, ne bougeaient pas.

— Et vous? Qu'est-ce que c'est?

— Pourriez-vous me dire s'il y a eu un accident cet après-midi?

— Quelle sorte d'accident?

— Je ne sais pas... Peut-être un accident de la circulation?...

Un homme était entré, pas du côté du public, mais de l'autre, un gros, le visage luisant de sueur, le chapeau sur la tête. Il touchait la main des autres, puis observait Jeantet à travers la fumée de sa pipe.

— De ces accidents-là, il y en a tous les jours... Pourquoi voulez-vous savoir?

— Ma femme n'est pas rentrée.

— Depuis quand?

— Je l'ai quittée à deux heures.

— Qu'est-ce qu'elle fait, votre femme?

— Rien... Le ménage...

— Chez des patrons?

— Chez nous.

— Elle est âgée de cinquante-deux ans?

— Elle en a vingt-huit.

— Alors, ce n'est pas ça. Celle qui a été renversée par un autobus, rue d'Aboukir, à quatre heures dix, est une femme de cinquante-deux ans... Posetti, qu'elle s'appelle...

Toujours le sentiment de son impuissance! Il ne trouvait même pas la question à poser. On ne l'aidait pas. Il n'y avait rien sur les visages.

— Elle a l'habitude des fugues?

— Non.

— Alors, pourquoi vous inquiétez-vous?

Comme il essayait de comprendre, on l'interpellait, derrière son dos, le nouveau venu, celui dont le visage luisait de transpiration et dont la pipe sentait très fort.

— Dites donc, ce n'est pas vous qui habitez le boulevard Saint-Denis?

— J'habite le boulevard Saint-Denis, oui.

— Au deuxième, au-dessus du marchand de pendules?

— Oui.

— Vous ne me reconnaissez pas?

Jeantet fit un effort, mais depuis un bon moment tout lui semblait irréel. Il avait déjà vu ce visage-là, cette expression d'assurance vulgaire, à la fois bonhomme et agressive.

— Inspecteur Gordes, ça ne vous dit rien?

Il rougit violemment.

— Si.

— Je vous ai rendu service une fois, bien que vous n'ayez pas suivi mes conseils. Alors, aujourd'hui, de quoi s'agit-il au juste?

— Elle a eu un accident.

— Toujours la même?

— Oui.

— Quand?

— Cet après-midi.

— Où?

— Je l'ignore. C'est pour le savoir que je suis ici.

— Vous voulez dire qu'elle n'est pas rentrée?

Il baissa la tête. Il n'en pouvait plus. Il voyait des sourires sur tous les visages, sauf sur celui de l'étranger qui, assis au milieu du banc sans dossier, cherchait, dans ses papiers blancs, bleus et roses, ce qui pouvait clocher.

CHAPITRE

2

PEUT-ETRE N'ETAIENT-ils pas méchants et voyaient-ils seulement la vie sous un autre angle? Peut-être même n'était-ce qu'une question de profession et cette atmosphère dure et trouble à la fois que Jeantet trouvait irréelle et qui lui faisait perdre pied était-elle leur atmosphère de tous les jours?

Ils devaient avoir eux aussi, comme tous les corps de métier, leur jargon professionnel, des mots qui n'avaient de sens que pour eux ou qui prenaient un sens différent, comme à l'*Imprimerie de la Bourse*, le grand et le petit œil, la perle et le cicéro, les bas de casse et les cadratins, par exemple. N'y a-t-il pas des gens pour qui le marbre d'une imprimerie, les lourdes formes, le plomb qu'on y manie avec des doigts gris apparaissent comme des choses ternes ou lugubres, menaçantes?

Il n'en voulait à personne et, comme l'étranger du banc, il s'efforçait de se faire entendre, d'établir un contact. Bien vite, il avait l'impression qu'il parlait à vide et que ses lèvres auraient pu remuer sans émettre aucun son.

— Ecoutez, monsieur l'inspecteur...

Cette barrière noire, à laquelle des dizaines de milliers de bonnes volontés s'étaient heurtées, le gênait, et aussi le regard des trois agents muets qui semblaient jouer les figurants dans une scène familière.

— ... Je suis sûr qu'elle a eu un accident... Celui-ci ne s'est peut-être pas produit dans le IIe Arrondissement...

— Vous vous êtes déjà adressé au IIIe?

Leur maison était presque à la limite des deux arrondissements administratifs.

— Non... J'espérais que, d'ici, on pourrait se renseigner, téléphoner...

L'inspecteur avait sûrement un bureau privé. Pourquoi n'invitait-il pas Jeantet à l'y suivre? Parce que c'était l'heure creuse et que les autres, avec leur képi sur la tête, manquaient de distraction?

Quand il l'avait connu, huit ans plus tôt, Gordes était un homme presque maigre et il l'avait d'abord pris pour un reporter ou pour un voyageur de commerce. Il était déjà débraillé, sûr de lui, du genre de ceux qu'on voit passer des heures dans les cafés, et c'était sans doute à force de manger et de boire, surtout de boire, qu'il avait tant engraissé.

— Cornu, passe-moi Police-Secours.

Dans sa bouche, ce qui aurait pu être une gentillesse devenait un défi et il s'asseyait d'une seule fesse sur le bureau de l'agent en uniforme, lui prenait l'écouteur des mains.

— Police-Secours?... C'est toi, Manière?... Il me semblait bien que je reconnaissais ta voix... Chaud, oui... Ici aussi... Ça va?... Les gosses?... Le mien part en vacances avec sa mère à la fin de la semaine... Chez sa grand-mère, comme toujours... Dis-moi, parmi les accidents de la circulation, cet après-midi, tu n'as pas eu une femme d'une trentaine d'années?...

Il n'avait pas quitté Jeantet des yeux et maintenant il s'adressait à lui.

— Comment était-elle habillée? lui demandait-il.

— Une robe noire, assez vieille.

— Une robe noire... Signe distinctif : marquée à la joue... Marquée, oui... C'est bien ça...

A Jeantet, à nouveau :

— La joue gauche ou la joue droite?

— La gauche.

— Joue gauche, vieux... Un souvenir, comme tu dis... Monsieur n'était pas content... Tu ne vois rien?... C'est calme?... Non, je prends juste mon service... Merci... Oui... Je ne manquerai pas de le lui dire.

Il raccrocha et tira sur sa pipe en hochant la tête.

Jeantet essaya encore.

— Ne serait-il pas possible que des passants l'aient conduite directement à l'hôpital?

— En cas d'accident, un procès verbal est obligatoirement dressé. On n'entre pas à l'hôpital comme dans un cinéma...

— Pour une urgence, cependant?... A supposer qu'elle soit tombée, que des inconnus l'aient ramassée...

Il sentait que cela ne se tenait pas, que ce n'était pas ce qu'il fallait dire, surtout ici.

— Bon! Passe-moi l'Hôtel-Dieu, Cornu...

Puis ce fut le tour de l'hôpital Saint-Antoine et de l'hôpital Saint-Louis.

— Convaincu, à présent?

L'inspecteur n'avait pas fait ça pour l'aider, par bienveillance, mais pour lui prouver qu'il avait raison. Il existait d'autres hôpitaux à Paris. Etait-il vraisemblable que Jeanne, vêtue comme elle l'était, se soit tellement éloignée de son quartier?

Il n'osait pas insister. Gordes pensait le cas en professionnel et cela se traduisait par :

— Ils ne l'ont pas fait payer, jadis, quand vous l'avez ramassée?

Tous les mots portaient faux et n'évoquaient qu'une caricature de la réalité. Jeantet fit non de la tête.

— Je vous avais pourtant prévenu qu'il faudrait qu'elle paye. Un homme ne lâche pas, pour rien, la fille qui travaille pour lui. Dans le milieu, il serait déshonoré.

Il n'avait rien à répondre. Il avait hâte de s'en

aller. Il était presque certain, tout à coup, que Jeanne était rentrée et il s'en voulait d'avoir, par son impatience, fait remonter toute cette saleté à la surface.

— Elle ne vous a pas demandé d'argent? Quelque chose comme un quart ou un demi-million?

— Non.

— C'est sans doute qu'elle s'est procuré la somme par ailleurs. Elle sortait beaucoup?

— Jamais.

Il rougit pour la seconde fois, affirma sans trop savoir ce qu'il disait :

— Vous avez des amis? Des amis riches?

— Ou bien elle est rentrée pendant que j'étais ici ou bien il lui est arrivé malheur.

— Comme vous voudrez. Venez m'en reparler demain.

Une voiture s'arrêtait devant le commissariat. Une portière claquait. La porte s'ouvrait brusquement et deux agents en uniforme poussaient au milieu de la pièce deux hommes, l'un avec des menottes aux poignets, l'autre le visage en sang. Tous les deux avaient les cheveux très noirs, le type étranger, des Espagnols ou des Italiens, Jeantet ne le sut pas, car il n'eut pas le temps de les entendre parler.

Ce ne fut pour lui qu'une image : les agents jeunes, impeccables dans leur tenue, pleins de santé, qui faisaient penser à des athlètes sur un stade, et les autres, qui avaient à peu près leur âge, maculés de poussière, la chemise déchirée, le regard dur et fermé.

Celui qui saignait ne semblait pas s'en apercevoir et laissait le sang couler de son menton sur sa chemise qui en était maculée.

Au moment où Jeantet s'en allait, un des agents posait un couteau ouvert sur le comptoir et l'homme du banc, arraché un instant à ses paperasses, levait la tête, contemplait les nouveaux arrivants avec toujours l'air d'essayer de comprendre.

De comprendre quoi? Pourquoi les hommes se faisaient mal?

Sur le seuil, Jeantet retrouvait avec étonnement la lumière du jour et il fixa un bon moment un pigeon qui picorait au bord du trottoir. Il s'interdit de marcher vite. Il valait mieux laisser s'écouler le plus de temps possible, car chaque minute donnait à Jeanne une chance de plus de rentrer.

Les rues étaient plus calmes, plus vides, les sons amortis. Le patron de la brasserie, boulevard Saint-Denis, surveillait sa terrasse. C'était un petit homme chauve, placide, qui avait été longtemps garçon de café à Strasbourg ou à Mulhouse. Est-ce qu'il voyait le carrefour, les guéridons, les demis de bière et même le ciel qui commençait à se couvrir, du même œil que ses clients qui prenaient le frais?

Lui aussi devait avoir son langage, sa façon d'envisager la vie et les hommes. Et chaque consommateur, attablé dans le crépuscule, vivait en réalité dans un univers à part, qu'aucun de ses voisins ne pouvait pénétrer.

Il le savait depuis longtemps. C'est parce qu'il le savait si bien qu'il s'était ingénié à délimiter son domaine et à l'entourer de barrières protectrices. Il l'avait choisi aussi modeste, aussi simple que possible, afin qu'il soit moins menacé, et voilà que, soudain, d'une heure à l'autre, presque d'une minute à l'autre, tout chancelait.

Il gravit les marches deux à deux, ouvrit la porte d'un geste brusque, comme il aurait joué à pile ou face.

Vide !

Alors, il se laissa tomber dans son fauteuil et, les yeux grands ouverts, sans savoir ce qu'il fixait avec tant d'intensité, il ne bougea plus.

Il n'avait pas faim, pas soif, pas froid, ni chaud. Il n'était pas fatigué et il ne souffrait pas à proprement parler.

Pourtant, petit à petit, cela devenait intolérable : une angoisse insidieuse, qui se matérialisait par des crispations, par des mouvements mystérieux dans tout son corps.

— Il ne faut pas !

Il ne se rendait pas compte qu'il avait parlé à voix haute, dans le logement vide où les bruits du dehors pénétraient toujours par les fenêtres ouvertes. Il ne fallait pas se mettre à courir les rues à la recherche de Jeanne. Son instinct l'y poussait. Il était obligé de déployer une énorme énergie pour rester affalé dans son fauteuil, plus mou, en apparence, qu'il ne l'avait jamais été.

Si ce n'était pas un accident, c'était un crime. L'inspecteur Gordes n'y avait-il pas pensé, lui aussi? Jeantet avait failli lui en parler. Ce qui l'en avait empêché, c'est que les mots, pour l'un et pour l'autre, prenaient un sens trop différent. Les mots de Gordes salissaient tout.

Jeanne n'avait pas payé, jadis, parce que lui, Jeantet, lui avait dit de ne pas le faire et, en outre, parce qu'il n'aurait pas pu lui donner autant d'argent. A cette époque-là, huit ans plus tôt, il avait à peine trente-deux ans; il n'avait pas encore acheté le fauteuil, ni les deux planches à dessin; le cabinet noir, qui avait servi autrefois à un photographe ambulant, n'était pas transformé en salle de bains.

Au fait, cela s'était passé un mercredi aussi, car il avait déjà choisi ce jour-là pour faire ce qu'il appelait sa tournée.

Il avait dîné seul, dans la salle à manger à peine meublée, et il se souvenait qu'en rentrant il s'était arrêté chez Mme Dorin pour acheter du fromage et des légumes cuits.

C'était l'été, plus tard que maintenant dans la saison, fin août, et la plupart des Parisiens, surtout dans le quartier, étaient rentrés de vacances. Les fenêtres étaient ouvertes, les bruits à peu près les mêmes qu'aujourd'hui.

En ce temps-là, il s'installait dans un fauteuil d'osier pour dévorer tous les ouvrages sur les grandes explorations qu'il pouvait dénicher à la bibliothèque de l'Arsenal et chez les bouquinistes. Il avait lu tard, jusqu'à environ une heure du matin, puis, la lampe éteinte, il était resté accoudé à la fenêtre qui donnait sur la rue Sainte-Apolline.

Elles n'étaient que deux à la porte de l'hôtel meublé dont la lumière dessinait un rectangle sur le trottoir. Le petit bar, un peu plus loin, avait déjà ses volets baissés. L'une des femmes, très blonde, était en bleu pâle et l'autre portait une robe noire.

Un homme avait tourné le coin de la rue, la démarche hésitante, s'était brusquement décidé à changer de trottoir pour aller regarder les filles sous le nez. Il les avait dépassées ; celle en bleu l'avait rejoint à pas précipités et, après un conciliabule assez long, était parvenue à le ramener à l'hôtel, dont une fenêtre n'avait pas tardé à s'éclairer.

Quand, deux semaines plus tard, l'inspecteur était venu parler de Jeanne, il avait marché jusqu'à la fenêtre, observé d'un air entendu la maison d'en face, adressé un clin d'œil à Jeantet.

Ce n'était pas difficile de comprendre ce qu'il pensait et, déjà, c'était faux. La rue Sainte-Apolline, l'hôtel meublé, les allées et venues des prostituées et de leurs clients, c'était, en somme, en bordure de son univers; cela en faisait presque partie mais, le matin, il regardait de la même façon, de l'autre côté, les garçons qui arrangeaient la terrasse de la brasserie, les tonneaux de bière qu'on roulait en travers du trottoir pour les descendre à la cave par le soupirail.

Le reste avait été rapide. L'homme, invisible dans un coin, devait guetter le moment où la rue serait déserte et Jeantet ne l'avait pas vu venir. Il l'avait aperçu soudain, souple, silencieux, à quelques pas de la fille en noir, qui le découvrit en même temps que lui et qui, après un mouvement pour s'enfuir, s'était figée.

La scène, muette, n'avait duré que quelques secondes, et pourtant chaque mouvement se décomposait dans la mémoire de Jeantet : l'homme qui se campait devant la femme, marquait un temps d'arrêt, puis, posément, la giflait sur les deux joues avant qu'elle eût pu faire un mouvement pour se protéger.

Sans transition, il lui avait saisi les cheveux de la main gauche, d'un geste plus précis que brutal, et, sortant la main droite de sa poche, il avait frappé au visage, avec une lenteur surprenante.

Enfin, d'une secousse, il avait envoyé sa victime rouler sur le trottoir, et, satisfait, en homme qui a accompli ce qu'il devait accomplir, il s'était éloigné vers la rue Saint-Denis, ne tardant pas à disparaître au tournant. Ce n'était qu'une ombre dans l'ombre. On n'entendait pas le bruit de ses pas.

Rien ne bougeait plus dans la rue et seuls un pied, une jambe de la femme étendue restaient éclairés par la lumière de l'hôtel meublé.

Qui sait? S'il avait eu le téléphone à cette époque, peut-être se serait-il contenté d'avertir la police? Au lieu de cela, il avait passé son pantalon, son veston et, sans cravate, les pieds dans des pantoufles, il était descendu.

Comme il atteignait le trottoir d'en face, la femme essayait de se remettre sur ses pieds, lentement, sans gémir, sans geindre. Elle était encore à genoux, une main par terre, et elle avait regardé de bas en haut, avec stupeur, la silhouette inattendue.

Du sang couvrait la moitié de son visage et son cou mais, comme l'homme du commissariat, tout à l'heure, elle ne semblait pas s'en apercevoir.

Il tendait les mains pour l'aider. Par défi, elle se relevait seule et, une fois debout, avant de penser à son sac, tombé un peu plus loin, elle questionna :

— Qu'est-ce que vous voulez, vous?

— Vous êtes blessée...

— Et après? Ça vous regarde?

Comme les autres, en somme! Pourtant, cette fois-là, il ne s'était pas découragé.

— Il faut vous soigner...

— Je me soignerai toute seule.

Ramassant le sac, il le lui avait tendu. Elle y avait pris un mouchoir, l'avait passé sur ses joues, et c'est alors seulement que, voyant tant de sang, elle avait reçu le choc. Ses yeux s'étaient agrandis, étaient devenus fixes; il avait eu juste le temps de la retenir par les épaules à l'instant où elle mollissait.

Sa première idée avait été de la traîner dans le couloir de l'hôtel meublé, d'appeler le gardien de nuit, n'importe qui. Alors qu'il commençait à le faire, elle reprit suffisamment ses esprits pour protester, se débattre.

— Pas là !

— Pourquoi ?

— Ils alerteront la police.

— Où voulez-vous que je vous conduise ?

— Nulle part.

— Vous habitez le quartier ?

Cette phrase-là n'avait-elle pas fait le même effet à la femme que certaines phrases lui faisaient à lui ? Ne venait-il pas de lui parler un langage inconnu ?

Elle répétait, plus ironique qu'amère :

— ... habiter...

Et lui, maladroit :

— Vous ne pouvez pas continuer à saigner ainsi... Il y a une pharmacie ouverte sur les Boulevards...

— Et un flic juste en face, oui !

Il avait levé la tête vers sa fenêtre.

— Venez chez moi. Je verrai bien si c'est grave et s'il faut appeler un médecin...

Il désignait sa maison.

— C'est là... Au deuxième... N'ayez pas peur...

— Peur de quoi ?

Un moment, il se demanda si elle n'était pas ivre. Elle le regardait comme s'il avait appartenu à une autre humanité que la sienne. Dans l'escalier, elle trébuchait. Et quand, chez lui, elle le vit enfin dans la lumière, il put croire qu'elle allait éclater de rire.

— Restez ici... Je vais chercher de l'eau et du coton...

Les sourcils froncés, elle inspectait les lieux autour d'elle.

— Il n'y a pas de miroir?

Il n'en existait qu'un petit, entouré de métal, pendu à l'espagnolette du cabinet de toilette, qui lui servait pour se raser.

— Ne bougez pas... Je ne vous ferai pas mal...

Il avait passé son service militaire comme aide-infirmier; il était facile de voir que, si la blessure était assez profonde, la joue n'avait pas été percée de part en part. En réalité, il y avait deux blessures en une, la lame du couteau ayant tracé une croix d'environ cinq centimètres.

— Je n'ai que de la teinture d'iode sous la main... Cela va vous brûler... Après, il faudra voir un médecin, qui fera des points de suture...

— Pour qu'il me signale à la police!

— Si vous lui demandez de ne rien dire...

— Ils y sont obligés! Je les connais.

Elle avait à peine vingt ans. Elle était brune, petite, ni belle ni laide, et sa vulgarité avait quelque chose d'artificiel, comme son assurance.

— Vous savez qui vous a fait ça?

Il avait beau être de douze ans plus âgé qu'elle, se considérer comme un homme mûr, c'était elle, cette nuit-là, qui le regardait en aînée.

— Laissez tomber! Merci quand même pour les soins!

— Vous n'allez pas vous en aller ainsi?

— Qu'est-ce que je ferais d'autre?

— Vous n'avez pas peur?

Mais si, elle avait peur, tout à coup, peut-être

parce qu'elle venait d'apercevoir, par la fenêtre, la rue Sainte-Apolline et, sur le trottoir d'en face, la fille blonde à robe bleue qui avait repris sa faction. Au coin de la rue, deux hommes, dont les cigarettes voletaient dans l'obscurité comme des lucioles, semblaient surveiller le secteur.

— C'est vous qu'ils cherchent?

— Je ne sais pas.

— Vous ne croyez pas qu'il serait préférable de passer la nuit ici?

Il se souvenait de ce regard-là, plus lourd d'incompréhension, de soupçon stupide, que toutes les phrases maladroites.

Il s'empressait d'ajouter :

— Il y a une autre pièce, derrière la porte... Je dormirai dans un fauteuil...

— Je n'ai pas sommeil.

— Vous aurez sommeil tout à l'heure. Votre joue ne vous fait pas mal?

— Cela commence.

— Je vais vous donner deux comprimés d'aspirine.

— J'en ai dans mon sac.

Il avait traîné le fauteuil d'osier dans ce qui était devenu, depuis, la salle à manger, et, vers trois heures du matin, il avait fini par s'assoupir. C'était la première fois qu'une femme couchait dans son logement et il en était dérouté, car il avait toujours pensé qu'il vivrait seul toute sa vie.

Le lendemain matin, elle faisait de la température. Il ne lui avait pas demandé son nom, pas même son prénom. La robe noire, poussiéreuse, gisait par terre près des souliers aux talons tournés, à l'intérieur noirci par la sueur, et des pieds sales dépassaient de la couverture, du sang avait collé les cheveux par mèches, un œil était entouré d'un cerne bleuâtre.

— Il n'est venu personne?

— Non.

— Regardez par la fenêtre. Je ne dois pas me faire voir. N'y a-t-il pas un homme qui rôde sur le trottoir?

Elle avait perdu son assurance de la nuit. Anxieuse, elle sursautait chaque fois qu'on entendait des pas dans l'escalier.

— C'est un avertissement.

— Quoi?

— Ce qu'il m'a fait.

— Vous le connaissez?

Quinze jours avaient passé et, le troisième jour, il avait acheté chez un brocanteur de la rue du Temple un lit pliant qu'il dressait, le soir, dans la salle à manger. Il devait passer ses jambes à travers les barreaux, car c'était lui, alors, qui occupait ce lit trop court.

Elle traînait déjà dans le logement, pieds nus, dans une robe de chambre à lui qu'elle remontait avec des épingles quand, un matin, vers onze heures, on avait frappé à la porte. Après avoir mis un doigt sur la bouche en regardant Jeantet d'un air suppliant, elle avait couru s'enfermer dans le cabinet de toilette.

Le visiteur était Gordes, moins épais, moins

luisant de sueur car, ce jour-là il tombait une pluie fraîche. Avant d'ouvrir la bouche, il avait fait du regard l'inventaire de la pièce. Désignant la porte de la salle à manger, il avait questionné :

— Elle est là?

— De qui parlez-vous?

Dédaigneux, il lui avait montré sa carte.

— La fille Moussu. Jeanne Moussu. Celle qui a été marquée par son mec il y a deux semaines. Qu'est-ce que vous comptez en faire?

Il ne répondait rien, parce qu'il n'y avait aucune réponse possible à ce moment-là.

— Nous sommes vendredi et, pour la deuxième fois, hier, elle a manqué la visite.

Jeantet questionnait naïvement :

— Quelle visite?

L'autre le regardait comme s'il n'avait jamais rencontré pareil phénomène.

— La visite sanitaire. Il faut que je vous fasse un dessin? Quand une femme est en carte...

Jeantet était sûr que Jeanne écoutait derrière la porte et cela le gênait.

— Si elle n'avait plus envie d'être en carte?

— Dans ce cas, ce n'est pas moi que cela regarderait. Il faudrait qu'elle s'adresse aux Mœurs, quai des Orfèvres, qu'elle ait un répondant sérieux, des moyens d'existence et qu'elle remplisse un certain nombre de formalités...

— C'est possible, non?

— Mais oui! Mais oui! Tout est possible, même ça, comme vous dites. Vous avez un emploi régulier?

Il examinait, avec un sourire moqueur, les caractères typographiques qui garnissaient déjà les murs.

— C'est ce que vous faites au juste?

— Je suis dessinateur.

— Ça rapporte?

— Assez pour vivre.

— Célibataire?

L'inspecteur allait et venait, le chapeau sur la tête, sachant aussi bien que son interlocuteur que Jeanne était derrière la porte. Il le faisait exprès de s'en approcher de temps en temps et de s'arrêter au moment de l'ouvrir.

— Comme vous voudrez... finit-il par soupirer.

C'est alors qu'il s'était penché à la fenêtre donnant sur la rue Sainte-Apolline et qu'il avait regardé tour à tour l'hôtel d'en face et le visage rougissant de Jeantet.

Il avait enchaîné tout de suite :

— Moi, ce n'est pas mon affaire... Ce truc-là, ça réussit une fois sur mille et vous avez le droit, comme tout le monde, de tenter votre chance... Qu'elle aille voir le commissaire Depreux et cela aidera si vous l'accompagnez en apportant vos papiers, y compris des certificats des gens qui vous emploient... N'oubliez pas un extrait de casier judiciaire... Après, quand le petit gars reviendra, il vous restera à trouver de quoi payer...

— Payer quoi?

— Dans ce milieu-là, quand on prend sa femme à un homme, on lui prend son gagne-pain. Il est naturel qu'on compense...

La porte s'était ouverte et Jeanne avait prononcé :

— Laisse, Bernard... L'inspecteur a raison...

Il y avait juste trois jours qu'ils se tutoyaient et, la première fois que c'était arrivé, il avait passé des heures, ensuite, à déambuler dans les rues en s'efforçant de réfléchir.

En huit ans, il avait croisé plusieurs fois l'inspecteur sur le trottoir et, chaque fois qu'il l'avait pu, il avait évité son regard.

Pendant des mois, Jeanne et lui avaient vécu pour ainsi dire enfermés comme dans une forteresse et, quand elle était enfin sortie avec lui, elle avait failli être prise de vertige.

Un an et demi plus tard, seulement, leur mariage avait eu lieu à la mairie du IIe Arrondissement, avec, pour témoins, deux inconnus que Jeantet, sur le conseil d'un employé municipal, était allé chercher dans un bistrot voisin. Ils témoignaient aussi bien pour les naissances que pour les mariages et les décès et le maire ou son adjoint feignaient de ne pas les reconnaître.

L'enseigne au néon clignotait, des autobus passaient encore de temps en temps, les autos, sur la piste presque déserte, roulaient plus vite, cependant que montaient dans le calme de la nuit les voix grossies des passants.

Il y avait sûrement des femmes, en face, deux ou trois, des nouvelles ou des anciennes, à la porte de l'hôtel meublé où, parfois, une fenêtre s'éclairait.

Il ne s'assoupissait pas, ne fermait pas les

yeux, suivait toujours, comme sur un plan ou sur une planche anatomique, les crispations de ses nerfs, le mouvement de son sang dans ses artères.

Ce n'était pas vrai ! Tout son être protestait ! Il était impossible qu'après huit ans l'inspecteur Gordes eût raison contre lui. Ce n'était pas une affaire entre deux hommes. Il ne s'agissait pas d'opinions opposées. Le problème les dépassait, dépassait Jeanne aussi et, dans l'esprit de Jeantet, devenait cosmique. Le monde était remis en question, la vie même, pas celle d'un homme et d'une femme, mais la vie tout court.

Pendant huit ans, ils avaient nourri de leur substance l'espace compris entre ces murs, ils avaient fait du logement anonyme un univers distinct, dont chaque détail, chaque molécule portait leur marque et qui était bien à eux.

Pas à lui. Pas à elle. A eux.

Le rythme de leurs journées ne dépendait pas des horloges, ni du lever ou du coucher du soleil. C'était le plus intime d'eux-mêmes, leur propre rythme, en somme, qui avait créé un emploi du temps échappant à toutes les règles et à toutes les influences.

Ainsi, à cet instant, il devrait être occupé à lire, entendant Jeanne vaquer à sa toilette, et elle allait venir l'embrasser, presque aussi timide que le premier mois, en murmurant :

— Ne te couche pas trop tard.

L'inspecteur ne semblait-il pas insinuer, tout à l'heure, que cela n'arriverait plus, par sa faute à elle, parce qu'elle ne voulait plus que cela arrive?

La vieille demoiselle Couvert dormait, au-dessus de sa tête, dans la même chambre que Pierre, qu'on entendait marcher pieds nus sur le plancher les nuits où il était somnambule. D'autres locataires, plus haut encore, qu'il connaissait à peine de vue, dormaient sans doute aussi. Les bureaux de l'huissier étaient vides, car il avait son appartement en banlieue.

C'était injuste. C'était faux. Il venait de trouver le mot et il était sûr de ne pas se tromper : il y avait quelque chose de faux à la base. Il était inadmissible que Gordes, en dépit des apparences, eût raison.

Jeanne n'était pas partie. Elle ne s'était pas coupée de lui volontairement, délibérément. C'était exact qu'ils n'avaient jamais payé la fameuse amende, mais, contrairement à ce que pensait l'inspecteur, personne n'était jamais venu la leur réclamer.

Ils avaient vécu longtemps sur le qui-vive, s'attendant toujours à entendre frapper à la porte. Or, jamais l'homme dont Jeantet n'avait pas voulu savoir le nom, ne s'était montré.

S'il en avait été empêché, par exemple par une peine de prison, et s'il venait d'être relâché, le policier ne le lui aurait-il pas dit?

Faux! Trouver ce qu'il y avait de faux à la base! Jeanne n'était pas quelque part dans une chambre avec un homme, ni toute seule. Elle n'errait pas non plus dans les rues. Elle n'avait pas pris le train, dans sa petite robe noire de tous les jours et ses vieux souliers.

Gordes avait téléphoné aux trois hôpitaux les plus proches. Il en existait d'autres à Paris et Jeantet se leva, lourd, maladroit, comme un homme qui a bu, fit de la lumière et, les yeux clignotants, feuilleta l'annuaire des téléphones.

— Allô!... L'hôpital Beaujon?... Excusez-moi, mademoiselle... Je voudrais vous demander...

— C'est pour une urgence?

— Non... Pourriez-vous me dire si on vous a amené, cet après-midi, une jeune femme nommée Jeanne Jeantet...

— Pour une opération?

— Je ne sais pas...

— Comment épelez-vous le nom?

— *J* comme Joseph... *E* comme Emile...

Puis l'hôpital Bichat, l'hôpital Boucicaut...

Cela lui occupait l'esprit. Il répétait patiemment :

— Non, mademoiselle... Je ne sais pas... comme Joseph... *E* comme Emile...

Chaque fois, il s'excusait, disait merci.

— Allô!... L'hôpital Bretonneau?... Non, mademoiselle, ce n'est pas pour une urgence... Je voudrais seulement savoir...

Son regard fixait la porte de communication et ses yeux s'embuaient.

— Merci, mademoiselle...

Il oubliait de fumer ses deux dernières cigarettes de la journée.

— Allô!... L'hôpital Broca?...

Puis Broussais... Chauchard... Claude-Bernard, Cochin, Croix-Rouge... Dubois... Enfants-Assistés...

Un coup de vent fit frémir la porte en face de lui et il n'aurait pas été surpris de voir entrer un fantôme.

Laennec... La Pitié... Lariboisière...

Des centaines, des milliers de lits, avec des malades, des mourants, des accidentés, des corps qu'on ouvrait et des morts qu'on descendait par les monte-charge...

Sa sœur, Blanche, ne travaillait pas exactement dans un hôpital mais à la Maternité, boulevard du Port-Royal. Elle était sage-femme. Elle avait trois ans de moins que lui. Elle vivait seule dans un appartement du parc Montsouris et, depuis qu'il avait épousé Jeanne, ils ne se voyaient plus.

Il avait un frère aussi, un frère aîné, avec une femme et trois enfants, dans un pavillon d'Alfortville. Plus trapu, plus solide que lui, il était mécanicien à la S. N. C. F.

Il avait même une mère, à Roubaix, qui, en se remariant, avait réalisé le rêve de sa vie, car son nouveau mari tenait un estaminet près du canal.

Ces gens n'avaient rien de commun avec lui, ni avec le logement du boulevard Saint-Denis, où aucun n'avait mis les pieds.

... Saint-Joseph... Saint-Louis... Non ! L'inspecteur avait déjà téléphoné à l'hôpital Saint-Louis... Salpêtrière... Tenon... Trousseau...

Le dernier : Vaugirard.

— *J* comme Joseph... *E* comme Emile...

Cette fois, quand il ouvrit la bouche pour dire merci, ce fut un sanglot qui en sortit et il laissa tomber sa tête entre ses bras repliés.

CHAPITRE

3

VERS TROIS HEURES du matin, il dut y avoir un incendie important, du côté de la rue des Petites-Ecuries ou de la rue de Paradis, autant qu'il en pouvait juger. Il ne s'était pas couché. Il était encore dans son fauteuil quand il avait entendu deux voitures de pompiers passer sous ses fenêtres, puis une autre, plus puissante, un quart d'heure après. Quand, plus tard encore, la grande échelle était passée à son tour, avec ses hommes casqués sur deux rangs, il s'était dirigé vers la fenêtre et il avait vu une dernière voiture qui conduisait des officiels sur les lieux.

Les Boulevards étaient à peu près vides et, au pied de la porte Saint-Denis un chat perdu miaulait chaque fois qu'il entendait des pas lointains. Dans la direction prise par les pompiers, on ne voyait pas de fumée, ni de feu au-dessus des toits, mais il percevait parfois une rumeur lointaine et une sorte de vrombissement qu'il ne parvenait pas à identifier.

Pour la nuit, il compta cinq voitures de police qui traversaient le quartier en actionnant leur sirène. Aucune ne s'arrêta dans les environs immédiats. L'événement le plus proche dut avoir lieu place de la République car il entendit l'écho d'un coup de feu venant de cette direction.

S'il lui arriva de s'assoupir, il n'en fut pas conscient; ses yeux étaient grands ouverts quand le ciel pâlit et quand les premiers boueux commencèrent à traîner les poubelles sur les trottoirs.

Un fort sédatif, ou un stupéfiant, de la novocaïne, par exemple, voire de l'opium — il ne savait pas, car il n'en avait jamais fait l'expérience — l'aurait sans doute mis dans le même état. Ce n'était pas à proprement parler de l'insensibilité. Son corps, au contraire, était plus sensible que d'habitude, surtout ses paupières. Il n'en était pas moins engourdi, moralement et physiquement, et il y avait de longs moments pendant lesquels tout devenait confus, ses pensées et ses sensations.

Il fit ainsi le tour de la nuit. Il y eut une autre journée. Puis encore une nuit. A la fin, le temps disparaissait, les heures s'effaçaient, il n'y avait rien et il y avait tout, un vide peuplé d'attente et de formes tantôt grises et tantôt colorées.

A quelle heure alla-t-il se préparer une première tasse de café dans la cuisinette où, depuis tant d'années qu'il ne vivait plus seul, il avait oublié où l'on mettait les choses? Il y avait déjà du soleil, des bruits épars, la vie quotidienne qui, dehors, s'amorçait et quand, debout, il laissa tomber trois morceaux de sucre dans sa tasse, tourna la cuiller, avança les lèvres vers le liquide brûlant, un mot lui jaillit à l'esprit, qu'il ne se souvenait pas d'avoir employé, le mot veuf.

Il avait tout à coup la certitude qu'il était devenu veuf et cela lui apparaissait comme un état mystérieux.

Il entendit des pas au-dessus de sa tête, reconnut ceux de Pierre, qui aimait tant venir faire ses devoirs en face de Jeanne.

Et voilà qu'il se rendait compte qu'il ne possédait pas un seul portrait d'elle, pas même une photographie pour passeport. Ils n'avaient jamais eu besoin de passeport. Ils ne voyageaient pas. L'idée ne lui était plus venue d'emmener sa femme en vacances depuis qu'un été, l'année de leur mariage, ils étaient allés à Dieppe et avaient eu tant de peine à trouver un lit, dans un hôtel bondé où ils n'avaient pas rencontré un regard de sympathie.

Il ne savait pas nager. Il ne s'était pas mis une seule fois en maillot de bain dans sa vie. Les animaux, les vaches, les abeilles, les chiens lui faisaient peur et, à la campagne, en dépit de tous les raisonnements, il restait oppressé par la sensation que des forces hostiles l'entouraient.

Il avait attendu huit heures pour appeler le commissariat. L'inspecteur Gordes qui, cette semaine-là, était de nuit, avait déjà quitté son service.

— Je vous passe l'inspecteur Maillard...

Celui-ci avait une voix sympathique.

— Mon collègue m'a mis au courant... Rien de nouveau, bien entendu... Donnez-moi votre numéro de téléphone et je vous appellerai si j'apprends quoi que ce soit...

De sorte qu'il ne guettait plus seulement les pas dans l'escalier mais encore l'appareil noir, sur sa table, qui pouvait se mettre à vibrer d'un instant à l'autre.

Des pas, il en vint d'en haut, vers neuf heures et demie, jeunes, sautillants, suivis de coups timides frappés à la porte. Il alla ouvrir au gamin, en profita pour prendre la bouteille de lait et la baguette de pain frais sur le palier.

— Je ne vous dérange pas? questionnait Pierre en s'efforçant de se donner l'air de quelqu'un en visite, mais sans pouvoir s'empêcher de regarder curieusement autour de lui.

Il n'osait pas poser la question. Jeantet n'en déclarait pas moins :

— Elle n'est pas rentrée.

— Vous croyez qu'elle a eu un accident?

Il n'avoua pas qu'il avait téléphoné à tous les hôpitaux de Paris.

— Ce n'est peut-être pas grave, n'est-ce pas? Si c'était grave, est-ce qu'on ne serait pas venu vous avertir?

Gêné de s'en aller tout de suite, l'enfant resta quelques minutes sans rien faire, sans rien dire, comme quand on visite un malade et, lorsqu'il fut parti, dégringolant avec soulagement l'escalier, Jeantet alla s'étendre tout habillé sur le divan où il finit par s'assoupir. A son réveil, les bruits de la terrasse, en bas, indiquaient l'heure du déjeuner; il but du lait, mangea du pain beurré, une tranche de veau froid trouvée dans le garde-manger suspendu au-dessus de la cour. Il refusait de sortir, de foncer dans les rues, parmi les passants, à la recherche de Jeanne. Il se rasa, fit sa toilette, essaya, dans le courant de l'après-midi, de travailler, n'y parvint pas. Cela n'avait aucun sens. Il n'y avait que dans son fauteuil qu'il se trouvait bien, les jambes allongées, les paupières mi-closes.

Le téléphone ne sonnait toujours pas et il était aussi isolé que si, à la suite d'une épidémie ou d'un exode en masse, il fût resté le seul habitant de Paris.

Combien d'heures cela dura-t-il? Le mercredi, il était un peu plus de six heures de l'après-midi quand, revenant de la rue François-Ier, du faubourg Saint-Honoré et de l'*Imprimerie de la Bourse,* il avait trouvé l'appartement vide. A ce moment-là, il restait optimiste, puisqu'il avait tourné autour du pâté de maisons en s'imaginant chaque fois que Jeanne serait rentrée à son retour.

La nuit du mercredi au jeudi... Puis tout une journée à ne rien faire, à rester en suspens... Sans même penser car, en réalité, il ne pensait pas et, paradoxalement, quand des images lui venaient à l'esprit, c'étaient surtout des images de son enfance, à Roubaix, près du canal, où sa mère trônait à présent derrière le comptoir d'un estaminet... Il connaissait bien l'estaminet, qui existait déjà quand, à trois ou quatre ans, il commençait à jouer aux billes sur le trottoir... Il se souvenait avec précision de l'odeur de genièvre mêlée à une autre odeur, celle du goudron dont on enduisait les péniches... Les mariniers qui sortaient de l'estaminet et qui butaient dans les billes sentaient le goudron et le genièvre...

Six heures du soir à nouveau et, en bas, la terrasse débordante de consommateurs qui suaient et buvaient de la bière.

Il se prépara une nouvelle fois du café; les mots *café* et *veuf* s'associèrent dans son esprit comme, dans sa mémoire, le goudron et l'eau-de-vie. N'allait-il pas devoir refaire ces gestes-là tous les jours, se réhabituer à la cuisinette où il était obligé de chercher pour mettre la main sur le sucre ou sur les allumettes?

Il restait trois œufs dans le garde-manger et, quand la nuit tomba, il eut le courage de les casser sur la poêle.

L'inspecteur Gordes, qui avait repris son service, ne téléphonait toujours pas. Devant l'hôtel meublé de la rue Sainte-Apolline stationnait, ce soir, une fille en tailleur blanc qu'il n'avait jamais vue et dont la taille, les cheveux bruns, la silhouette, rappelaient un peu Jeanne.

Quand, à la fin de la soirée, la foule sortit des cinémas et fonça vers le métro, il se décida à appeler le commissariat.

— L'inspecteur fait sa tournée. On ne nous a toujours rien signalé.

Est-ce que Gordes, pour lui prouver qu'il avait raison, s'était mis à chercher Jeanne, non pas morte, mais vivante?

Il refusa de se déshabiller, dormit quand même, tout habillé, sur le divan. Ainsi, il ne se réfugiait pas, exprès, dans le sommeil, ce qu'il aurait considéré comme une fuite. D'ailleurs, il continuait à entendre les autobus, à voir l'enseigne lumineuse s'allumer et s'éteindre, à distinguer les voix des passants, le sifflet des trains, à la gare de l'Est, ce qui indiquait que le vent avait changé.

A six heures du matin, il y avait trente-six heures de passées. On était vendredi. Il dut compter les jours pour le savoir. Pierre revint vers huit heures, s'assit sur une chaise, plus grave que la veille.

— Vous ne faites rien pour la retrouver?

— Il n'y a rien à faire.

— Et la police?

— J'ai averti la police hier... Non, avant-hier...

Il s'embrouillait dans les jours. Devant l'enfant, il allait et venait, feignant de s'occuper, avec l'impression déplaisante que le regard du gamin était chargé de reproche. Il alla jusqu'à dire, comme si on l'accusait :

— J'ai tout fait pour qu'elle soit heureuse...
Pourquoi Pierre se taisait-il?

— Tu ne crois pas qu'elle était heureuse?

— Si...

Le si n'était pas assez catégorique à son gré.

— Tu l'as déjà vue pleurer?

Il se rendait soudain compte que Jeanne avait eu de plus longues conversations avec l'enfant qu'avec lui. Souvent, travaillant dans son atelier, le porte entrouverte, il les entendait bavarder à mi-voix, et maintenant il se demandait ce qu'ils pouvaient se dire.

— Tu l'as déjà vue pleurer? répétait-il, soupçonneux.

— Rarement.

— Elle pleurait de temps en temps?

— De temps en temps...

— Pourquoi?

— Quand elle ne faisait pas bien les choses...

— Quelles choses?

— Je ne sais pas... Son travail... N'importe quoi... Elle aurait voulu que tout soit parfait...

— Qu'est-ce qu'elle te disait de moi?

— Que vous êtes bon.

La voix était sans chaleur et cela l'agaçait de voir à l'enfant un regard de juge.

— Elle ne trouvait pas que nous menions une vie monotone?

— Elle trouvait que vous étiez bon.

— Et toi?

— Je crois que oui.

— Elle ne connaissait personne, dans le quartier, que je n'aie jamais vu?

Il s'en voulut : il était en train de commettre une sorte de trahison, de se mettre, sans le vouloir, du côté de Gordes. Il se hâta de répondre lui-même à sa question :

— Non... Si elle avait connu quelqu'un, elle me l'aurait dit... Elle me disait tout...

Il aurait aimé que Pierre le lui confirme, mais celui-ci rompait l'entretien.

— Il faut que j'aille faire des courses...

Car c'était lui qui faisait le marché pour la vieille couturière et, pendant l'année scolaire, on le voyait, avant la classe, courir d'une boutique à l'autre avec sa liste et son filet à provisions.

A certain moment, dans la matinée, Jeantet s'aperçut que l'horloge était arrêtée, dut la remonter. Il était penché à la fenêtre pour regarder l'heure exacte à l'horloge monumentale suspendue au-dessus de la vitrine du marchand de pendules quand une sonnerie retentit et, la tête dehors, il ne se rendit pas tout de suite compte que c'était enfin le téléphone.

Il était onze heure dix-sept. L'attente avait duré quarante et une heures.

— Bernard Jeantet?

— Oui.

— Ici, le commissaire du...

— Je sais.

Il avait reconnu la voix de l'inspecteur Maillard, sa façon de parler. Il attendait, n'osant pas poser la question, et, il y eut un assez long silence.

— Eh bien! je crois que ça y est... J'ai averti Gordes, chez lui, et il se rend là-bas tout de suite... Il pense qu'il vaudrait mieux que vous y alliez aussi pour la reconnaître...

— Morte?

— Oui... C'est-à-dire... Vous verrez...

— Où est-elle?

— Rue de Berry, près des Champs-Elysées... Vous verrez un hôtel à droite, qui a un drôle de nom... L'*Hôtel Gardénia*... Vous feriez bien de vous dépêcher car, à ce que j'en sais, on ne la gardera pas longtemps là-bas...

Voilà! Jeanne était morte. Cela n'avait encore aucun sens. C'était stupide. Il s'en allait, emportant son chapeau, oubliant de fermer la porte que le courant d'air claqua alors qu'il descendait l'escalier. Il passa devant la loge de la concierge, vit la lampe allumée au bout de son fil, l'homme qui rempaillait une chaise, dehors, en fumant une vieille pipe réparée avec du fil de fer.

Il pénétra dans un taxi rouge, au plafond bas, et se cogna la tête.

— Rue de Berry...

— Quel numéro?

— Hôtel...

C'était bête! Il avait oublié!

— Un nom de fleur...

— Je vois... *Le Gardénia*...

Il aurait pu tout aussi bien traverser une ville étrangère, car il ne sut pas par où le chauffeur le fit passer. Les rues étaient des blocs de soleil où il voyait, comme à travers une loupe, des vêtements clairs, des visages qui riaient. L'auto s'arrêtait. Il remarquait un agent en uniforme devant une porte vitrée que surmontait une marquise. Il n'y avait pas de curieux, ni de journalistes, de photographes; seulement deux petites voitures noires de la police au bord du trottoir.

Un hall plutôt petit, mais clair, aux murs couverts de marbre, avec un comptoir d'acajou et des plantes vertes dans les coins, un tapis d'un beau rouge, sur les marches, retenu par des tringles de cuivre.

L'inspecteur Gordes se tenait près du bureau et, au moment où Jeantet arrivait, était en conversation avec une dame aux cheveux argentés, vêtue de soie noire.

— Venez par ici, Jeantet... Pour gagner du temps, j'ai demandé à mon collègue de vous téléphoner... J'étais chez moi quand on m'a averti...

— C'est elle?

— Je crois.

Il avait son chapeau sur la tête, sa pipe à la bouche, mais l'expression de son visage était différente, son regard aussi, qui se fixait sur Jeantet comme s'il y avait quelque chose qu'il n'arrivait pas à comprendre.

La grille noire de l'ascenseur se refermait sur eux; l'appareil les montait sans secousse jusqu'au quatrième étage où, sur le palier et dans le couloir, trois ou quatre hommes et deux femmes de chambre en blouse rayée se regardaient sans mot dire.

— Le 44... murmura l'inspecteur, pour le diriger.

Si l'hôtel n'était pas grand, l'ambiance lui parut douillette, raffinée. Sur les portes blanches, les numéros étaient en cuivre ou en bronze et, ici aussi, il y avait un tapis rouge, des plantes vertes.

— Le commissaire de police du quartier est sur les lieux depuis un bon moment...

Gordes marquait un temps d'arrêt.

— J'avais envoyé le signalement à tous les arrondissements, en demandant qu'on m'avertisse... On ne l'a malheureusement pas fait tout de suite... Le médecin-légiste est déjà reparti...

Il semblait s'assurer que son compagnon était assez solide pour le choc qui l'attendait. Avant de pousser la porte, lui-même s'épongeait, retirait son chapeau.

— Courage !... Ce n'est pas beau...

On avait été obligé d'ouvrir les fenêtres toutes grandes, à cause de l'odeur. Pour éviter la curiosité des gens d'en face, on avait rabattu les volets, qui ne laissaient passer que de minces rais de soleil. Le plafonnier était allumé. Un désinfectant puissant avait été répandu.

La première image, Jeantet la vit dans une grande glace, de sorte qu'un moment le spectacle fut irréel, un peu comme une photographie doublée. Quand il se tourna enfin, lentement vers le grand lit bas, il resta figé, sans un mouvement, sans un mot.

Il voyait une robe blanche qu'il ne connaissait pas, des pieds chaussés de souliers neufs, très fins, des mains d'une couleur indéfinissable, aux ongles d'un bleu sombre, qui tenaient un bouquet de roses flétries. D'autres fleurs étaient répandues sur le lit, comme au passage d'une procession, et les pétales, détachés, formaient par endroits une sorte de bouillie.

Il aurait voulu dire :

— Ce n'est pas elle...

Pas le dire, le crier, puis s'élancer dehors en gesticulant de joie. Le commissaire, hélas, retirait la serviette qui recouvrait le visage et Jeantet restait là, hébété, à fixer Jeanne. C'était elle, les yeux ouverts, les cheveux étalés des deux côtés sur l'oreiller, une Jeanne boursouflée, à la bouche et au menton couverts d'un liquide brun et épais.

— Venez...

On lui prenait le bras. On l'entraînait. Il apercevait, sur le palier, une civière, un sac rugueux. L'ascenseur descendait. Des plantes vertes le frôlaient. Ils étaient dans la rue, dans le soleil, Gordes et lui, et l'inspecteur, qui lui tenait toujours le coude, le poussait dans l'ombre d'un petit bar.

— Deux cognacs !

Jeantet vida son verre.

— Encore un ?

Il fit non de la tête.

— Un second pour moi, garçon.

Gordes le but, paya, emmena son compagnon vers une voiture noire.

— Ils l'ont laissée à ma disposition jusqu'à midi... Autant en profiter... On sera mieux dans mon bureau...

Tout le long du chemin, il évita de poser des questions, ne cessant de fumer, de croiser et de décroiser ses grosses jambes.

Ils ne passèrent pas par la pièce au long comptoir où ils s'étaient vus la fois précédente. L'inspecteur lui fit gravir un escalier poussiéreux, traverser un bureau où travaillaient des hommes sans veston. Il poussa une porte.

— Asseyez-vous. Je vous avais prévenu que ce n'était pas beau. Elle n'a pas pensé que les fleurs accéléraient la décomposition. Elles ne pensent jamais à ces choses-là. Vous l'avez quand même reconnue?

Jeantet n'avait pas fait un pas vers le lit, s'était laissé emmener sans prendre le temps d'un adieu muet, soulagé de ne plus voir le visage gonflé sur l'oreiller.

— Comment vous sentez-vous?

— Je ne sais pas.

— Vous voulez que je fasse monter à boire?

— Non merci.

Il pensait encore à dire merci, il en fit mentalement la remarque.

— Vous m'en vouliez, l'autre soir?

— Pourquoi?

— A cause de ce que je vous ai dit.

— Elle est morte.

— Vous savez comment?

Il fit non de la tête.

— Elle a absorbé le contenu d'un tube de somnifère. On a retrouvé le tube dans la salle de bains et, dans un verre, sur la table de nuit, quelques gouttes d'une concentration très forte.

Il s'entendit questionner :

— *Quand?*

— On le saura après l'autopsie.

Le mot ne le frappa pas, ne provoqua aucune réaction de sa part.

— Le suicide, en tout cas, ne fait pas de doute.

— Pourquoi?

— Parce qu'elle était seule dans la chambre.

— Depuis quand?

— Mercredi.

— A quelle heure?

— Elle est arrivée à trois heures.

Jeantet insista :

— Seule?

— Seule. A cinq heures, elle a commandé une bouteille de champagne.

Il ne suivait plus. Le bureau, en dépit de sa solidité administrative, perdait toute réalité. Un décor dans du brouillard. Des taches, des lignes, des sons. Il répétait :

— Du champagne?

C'était grotesque. Ils n'avaient jamais bu de champagne ensemble, pas même le jour de leur mariage. L'idée ne lui en était pas venue.

— Si vous aviez regardé dans le coin gauche de la chambre, vous auriez vu la bouteille à peu près vide et une seule coupe sur un guéridon.

Les hommes du VIIIe travaillent sur l'affaire depuis neuf heures du matin.

A cinq heures, le mercredi, il était encore à l'*Imprimerie de la Bourse,* penché sur le marbre, et c'était le moment où Jeanne aurait dû descendre pour lui acheter son journal du soir en même temps que ce qui manquait pour le dîner.

— La robe... prononça-t-il en levant la tête, les sourcils froncés.

— Laquelle? Si c'est de la noire que vous parlez...

— Elle portait sa robe noire...

— Elle l'a donnée, ainsi que ses vieux souliers, à la femme de chambre.

— Quand?

— Je l'ignore. Je le demanderai à mes collègues. Ils vous convoqueront sûrement au commissariat du VIIIe.

— Et la robe blanche?

— Elle lui appartenait. Les autres aussi.

— Les autres quoi?

— Les autres robes. On en a trouvé quatre dans l'armoire, avec du linge, des déshabillés, des bas, des chaussures, deux ou trois sacs à main.

Il avait envie de se lever, de se fâcher, de crier au gros homme, qui pourtant lui parlait doucement et sans ironie :

— Vous mentez!

Tout était plus faux que jamais. Déjà l'absence de Jeanne ne cadrait pas avec la réalité telle qu'il la connaissait. Quant à sa mort, elle prenait un aspect de plus en plus incongru.

— Voyez-vous, Jeantet, il y a longtemps que votre femme habitait cette chambre. Plus d'un an !

— Habitait ?

— Elle l'occupait, si vous préférez, elle y avait ses affaires, elle s'y rendait régulièrement.

— La location était à son nom ?

Il faillit corriger :

— A *mon* nom...

— Au nom d'un homme.

— Qui ?

— Pour le moment, je ne suis pas autorisé à vous le dire.

— C'était son amant ?

— D'après le personnel de l'hôtel, ils se retrouvaient une fois par semaine...

— Mais elle n'a jamais dormi ailleurs que chez nous !

— On ne passe pas forcément la nuit au *Gardénia*. C'est une maison que nous connaissons bien, où de nombreux couples se rencontrent l'après-midi...

— Dans ce cas, cet homme a pu...

— Non ! Je devine ce que vous allez dire. Les domestiques ont été interrogés. Il n'a pas mis les pieds à l'hôtel mercredi, ni hier, ni, à plus forte raison, aujourd'hui... On a téléphoné chez lui... Il n'est pas à Paris en ce moment... Il se trouve même très loin de France...

« Personne n'est entré au 44, sauf le livreur

qui a apporté les fleurs que votre femme a commandées elle-même et, à cinq heures, le garçon qui a servi le champagne... Elle a insisté pour qu'on ne la dérange pas... Le lendemain, c'est-à-dire hier, jeudi, vers la fin de la matinée, la femme de chambre a néanmoins frappé à la porte et, ne recevant pas de réponse, a pensé que sa cliente dormait toujours... Dans l'après-midi, une autre domestique a pris la relève. Comme on ne lui avait laissé aucune consigne, elle ne s'est pas préoccupée du 44, qu'elle croyait vide... C'est ce matin seulement que la première femme de chambre s'est inquiétée...

— De sorte qu'elle est probablement morte depuis mercredi soir?

— Nous le saurons dans la soirée, au plus tard demain matin.

L'inspecteur vidait sa pipe par terre.

— C'est tout ce que je peux vous dire. Peut-être mes collègues du VIIIe vous en apprendront-ils davantage. Peut-être, de votre côté, en examinant ses affaires et ses papiers...

— Quels papiers?

— Sa correspondance... Son carnet d'adresses...

— Elle n'écrivait à personne.

— Cela ne veut pas dire qu'on ne lui écrivait pas.

— Elle n'a jamais reçu de courrier.

Comment, dans leur logement, où chaque objet avait une place précise, lui aurait-elle caché quoi que ce fût? Ils vivaient ensemble du matin au soir, du soir au matin; les portes de communication restaient ouvertes et chacun, entendant les moindres mouvements de l'autre, était conscient de tous ses gestes.

Il se souvenait, par exemple, qu'une fois, vers cinq heures, Jeanne lui avait dit, de la pièce voisine :

— Attention, Bernard. C'est ta neuvième cigarette :

Elle ne le voyait pas. Elle entendait seulement le craquement des allumettes et devait sentir la fumée arriver jusqu'à elle!

Il se levait, le visage sans expression.

— Vous n'avez plus besoin de moi?

— Pas pour l'instant. Je vous répète ce que je vous ai dit tout à l'heure : courage!

Gordes ajouta, en le reconduisant à travers le bureau voisin :

— Souvenez-vous... Un cas sur mille... Et encore!

Ce n'était pas vrai! Jeantet ne protestait pas, parce qu'il savait que c'était inutile, que personne ne le croirait. Il n'en avait pas moins son idée et il était sûr que c'étaient eux qui se trompaient.

Peut-être Jeanne avait-elle pris le somnifère. C'était vraisemblable puisqu'elle était morte. Peut-être aussi avait-elle bu, seule, pour se donner du courage, une bouteille de champagne. Et c'était encore possible qu'elle ait eu l'idée d'étaler des roses sur le couvre-lit, de serrer un bouquet dans sa main avant de...

Il s'arrêta dans l'escalier. *Elle était morte.* Il commençait seulement à s'en convaincre. Même le matin, dans la chambre de la rue de Berry, c'était trop différent de la réalité.

En franchissant le seuil devant lequel des vélos étaient rangés, il faillit renverser un petit homme qui entrait, se retourna pour s'assurer que c'était bien l'étranger aux papiers de toutes les couleurs. Celui-là revenait à la charge, seul contre tous, contre les lois, les règlements, contre toute la machine administrative, obstiné, confiant dans son bon droit, dans sa vérité, dans sa logique à lui.

Chose curieuse, il ne pensait pas à l'amant. De tout ce qu'on lui avait révélé, c'était ce qui l'avait le moins frappé. Ce qui le troublait le plus, c'était la robe, la robe noire et les vieilles chaussures que Jeanne avait données à la femme de chambre. Il aurait aimé les reprendre et, s'il l'avait osé, il aurait couru là-bas pour les réclamer, les racheter au besoin.

Elle s'était habillée en blanc. Elle était morte dans une robe qu'il ne lui avait jamais vue et elle avait arrangé ses cheveux d'une façon qu'il ne connaissait pas.

Elle aurait pu laisser la robe noire dans l'armoire, ou dans un coin, avec les souliers. Est-ce que, pour elle, cela aurait fait une grande différence?

Une autre idée le frappait. Il se dirigeait vers une station d'autobus, prenait place dans la file d'attente. C'était l'heure du déjeuner. Il n'avait toujours pas faim. Il fallait qu'il retourne, tout de suite, rue de Berry, pour réclamer la lettre. Car il avait la certitude que Jeanne n'était pas partie sans lui écrire. Tout allait s'expliquer.

On n'avait pas pensé à lui remettre le message. Les gens de l'hôtel n'avaient peut-être pas su qui il était. Il restait sur la plate-forme, presque rasséréné, maintenant qu'il était sur le point de savoir, et, une fois descendu de voiture, il retrouva son pas allongé, un peu lent.

Il n'y avait plus d'agent à la porte. Il entra. A la place de la femme aux cheveux argentés du matin, se tenait un homme beaucoup plus jeune, aux cheveux gominés, qui vérifiait la comptabilité comme s'il était le patron.

— Vous désirez?

— Je m'appelle Bernard Jeantet.

Le nom ne semblait pas le frapper.

— Oui?

— Je suis venu tout à l'heure avec la police pour reconnaître le corps...

— Vous avez oublié quelque chose?

— La personne qui est morte est ma femme.

— Je comprends. Excusez-moi.

— Je suis à peu près sûr qu'elle a laissé une lettre pour moi, un billet, un message...

— Vous devriez vous adresser au commissariat, car ce sont ces messieurs qui ont inventorié la chambre. Ils ont emporté un certain nombre d'objets et ont apposé les scellés sur la porte.

— Vous n'étiez pas présent?

— Je n'étais même pas à l'hôtel.

— Vous ne savez pas qui se trouvait là à l'arrivée de la police?

— La femme de chambre de l'étage, certainement, puisque c'est elle qui...

— Elle est encore ici?

— Je l'appelle.

Sans cesser de l'observer, l'homme parlait dans le téléphone intérieur.

— Elle descend tout de suite... annonçait-il. C'était une des femmes que Jeantet avait aperçues le matin, en uniforme, sur le palier.

— M. Jeantet désirerait vous poser une question.

— Je reconnais monsieur.

— Savez-vous si la police a trouvé une lettre dans la chambre?

— Une lettre?... répéta-t-elle, en prenant un air réfléchi.

— Ou un billet... Un papier quelconque... Vous êtes la première qui soit entrée, n'est-ce pas?

— Oui... même que... Mais j'aime mieux ne pas parler de ça, car je n'en suis pas encore tout à fait remise... Une lettre, vous dites?... J'étais dans un tel état... Pourtant... Maintenant que vous m'en parlez, ça me dit quelque chose... Vous n'avez pas demandé à ces messieurs de la police?...

— Pas encore.

— Vous devriez le faire... C'était le seau à champagne... Il me semble qu'il y avait quelque chose devant, sur le plateau, quelque chose de carré et de clair, comme une enveloppe... Attendez!... Je revois le geste d'un des inspecteurs la prenant dans sa main, y jetant un coup d'œil et la glissant dans sa poche...

— Vous ne vous rappelez pas lequel?

— A un moment, ils ont été huit dans la pièce...

— Je vous remercie.

Jeantet marcha vers la rue, revint sur ses pas pour glisser un pourboire dans la main de la domestique.

— Oh! Il ne fallait pas...

Il ne lui restait qu'à aller réclamer sa lettre. Il ne s'était pas trompé. Elle lui avait écrit et tout allait s'expliquer.

CHAPITRE

4

On L'AURAIT FORT étonné si, deux heures plus tôt, par exemple, quand il sortait du cauchemar de la chambre 44, ou encore la veille quand, dans son logement, il attendait, immobile, que le sort décide de lui, le suppliant tout bas de faire vite, on l'aurait étonné et indigné si on lui avait annoncé qu'il déjeunerait ce jour-là à la terrasse d'un restaurant coquet — qui se révéla assez cher — de la rue de Ponthieu.

Ce n'était pas prémédité. Il s'était rendu d'abord au commissariat du quartier du Roule, à deux pas de l'*Hôtel Gardénia,* rue de Berry. Il y avait retrouvé l'atmosphère du commissariat de son quartier, à la différence qu'il compta huit personnes, cinq garçons très jeunes, habillés à peu près de la même façon, et trois filles, assises sur le banc.

Un instant, il avait craint qu'on le fasse asseoir à la place encore libre au bout de ce banc. Il avait hésité à s'avancer vers le comptoir, craignant de passer pour quelqu'un qui réclame un passe-droit.

— Je m'appelle Bernard Jeantet. Je suis le mari de...

— ... la suicidée, je sais. Vous avez déjà reçu votre convocation?

Cela recommençait.

— Quelle convocation?

— Il me semble que j'ai vu passer tout à l'heure une convocation à votre nom. Un cycliste l'a emportée avec les autres. Si je ne me trompe, le commissaire vous attend demain matin.

— Je ne viens pas pour le commissaire. Je désire seulement dire deux mots aux inspecteurs qui se sont occupés de l'affaire.

— Ils sont allés déjeuner. A moins que Sauvegrain... Attendez...

Il cria, dans la direction d'une porte entrouverte d'où venaient des bruits de machine à écrire :

— Sauvegrain est encore là?

— Il est parti il y a cinq minutes avec Massombre...

— C'est personnel, monsieur Jeantet?

— Oui... Je crois... J'ai besoin d'un renseignement au sujet de ce qui s'est passé dans la chambre...

Le brigadier fronça les sourcils, grommela :

— Ah ! oui...

Puis, comme cela ne le regardait pas :

— Revenez donc à deux heures... Un peu plus tard de préférence, car ils ont eu une matinée chargée...

C'est en se retrouvant dans la rue qu'il eut faim, tout à coup, ce qui ne lui était pas arrivé depuis trois jours. En suivant les trottoirs, il se surprit à jeter des coups d'œil de convoitise dans les restaurants et, rue de Ponthieu, il se laissa tenter par une terrasse aux tables recouvertes de nappes rouges. Le fait qu'il n'y avait que trois clients, trois hommes, à la terrasse, le rassurait.

Il n'y avait rien à manger chez lui. Son rendez-vous au commissariat, à deux heures, ne lui laissait pas le temps de retourner à la porte Saint-Denis et de faire son marché. En outre, il n'avait pas encore organisé, ni pensé même à l'organisation de sa vie de veuf.

C'était un temps mort, un entracte, un repas qui ne comptait pas. Il ressentit une curieuse impression en s'asseyant tout seul, puis en examinant la carte polycopiée que lui tendait le garçon. Les prix lui donnèrent un choc mais, encore une fois, c'était exceptionnel, en dehors de la routine, de celle d'avant comme de celle qui allait s'établir. Il n'y avait pas de danger que cela constitue un précédent.

Depuis longtemps, plusieurs mois, il n'avait pas mangé au restaurant, car il éprouvait de la répugnance, peut-être une certaine crainte, à sortir de leur existence telle qu'elle s'était organisée, d'un cadre délimité qui avait pris peu à peu une valeur de frontière.

Se sentant gauche, sinon ridicule, il commanda les hors-d'œuvre variés.

— Avec melon et jambon de Parme?

Il n'osa pas dire non, pas plus qu'il n'osa refuser le rognon flambé qu'on lui recommandait.

Les trois hommes, à la table voisine, parlaient du voyage que deux d'entre eux allaient entreprendre l'après-midi. Ils partaient pour Cannes et il était question d'une automobile américaine qu'il faudrait échanger dans des conditions mystérieuses à certain point du parcours. Etait-ce une automobile volée? En se tournant vers l'intérieur du restaurant, il trouva aux autres clients un air équivoque aussi et, pendant tout le repas, une des femmes assises sur un des tabourets du bar, le regarda comme si elle attendait un signal.

Cela l'impressionnait de se retrouver dans un monde qu'il avait presque oublié, qu'il n'avait jamais connu, en fait, qu'à travers les journaux.

Combien de personnes connaissait-il à Paris, parmi les millions d'êtres humains au milieu desquels il vivait depuis tant d'années? Il avait connu son frère Lucien et sa sœur Blanche, quand ils étaient enfants; il les avait revus plus tard, Lucien marié, père de famille, dans son pavillon d'Alfortville dont il était si fier, Blanche devenue sage-femme et, toujours célibataire, s'entourant d'un étrange mystère.

Depuis huit ans, il ne les fréquentait plus, sans

pourtant être brouillé avec eux. On pouvait presque dire qu'il avait oublié d'aller les voir.

Rue François-Ier, à *Art et Vie,* il rencontrait chaque mercredi des journalistes, des critiques, des dessinateurs, parfois des auteurs connus, qui se tenaient comme lui dans le salon d'attente. La plupart étaient plus ou moins amis et bavardaient tandis qu'il restait immobile dans son coin, sa serviette ou son grand carton à dessin à côté de sa chaise.

Il attendait son tour d'être reçu par M. Radel-Prévost, le secrétaire de la rédaction, un bel homme, élégant, dans un bureau impressionnant, où on voyait partout les photographies de sa femme, de son fils et de sa fille encadrées d'argent. Avec le magazine, sa famille était sa passion et, la journée finie, il s'élançait sur la route dans une auto de sport pour aller la retrouver à trente kilomètres de Paris.

Certaines photos avaient été prises autour d'une piscine, probablement celle de sa villa.

Ils se serraient la main, discutaient de la présentation d'un article, de l'équilibre d'une double page en couleurs, mais ils n'abordaient jamais de sujets personnels. Une fois seulement, M. Radel-Prévost lui avait demandé :

— Vous avez des enfants ?

— Non.

— Ah !

Jeantet s'était hâté d'ajouter :

— J'aurais aimé en avoir.

C'était peut-être vrai. Il n'en était pas sûr.

Jeanne, elle, si elle en avait envie, n'osait pas lui en parler, sachant qu'il ne pouvait pas lui en donner.

Ici, à deux pas des Champs-Elysées, il se sentait si loin de son quartier qu'il en était dépaysé. Il aurait juré que les passants, les passantes, étaient habillés autrement, parlaient un autre langage, n'appartenaient pas à la même race qu'au boulevard Saint-Denis. Il regardait parfois l'heure à sa montre, craignant d'être en retard, comme s'il avait un véritable rendez-vous.

Il connaissait encore Mlle Couvert, évidemment, savait qu'elle était la plus ancienne locataire de l'immeuble, qu'elle l'habitait depuis quarante et un ans. Il ignorait cependant la nature de ses liens avec le gamin dont il ne savait pas le nom de famille.

Faubourg Saint-Honoré, où on s'occupait de la publicité d'un certain nombre de commerces de luxe, il ne voyait jamais, sinon par hasard, entre deux portes, les grands patrons, les frères Blumstein. Tout le monde parlait familièrement de M. Max et de M. Henry. Il se contentait, lui, au fond d'un couloir, loin des salons et des bureaux où les clients étaient reçus, de voir un petit homme chauve qui avait été longtemps journaliste et qui rédigeait les textes et les slogans que Jeantet devait mettre en page. Il s'appelait Charles Nicollet et était devenu M. Charles.

En le quittant, Jeantet, chaque semaine, frappait, dans un autre couloir, à un guichet, et le caissier lui réclamait deux signatures avant de lui remettre un chèque pour les travaux livrés la semaine précédente.

Pouvait-il prétendre qu'il connaissait M. Charles? Celui-ci prenait des pilules pour l'estomac, avait des touffes de poils roux dans le nez et les oreilles. Où et comment il vivait, avec qui, pourquoi, dans quel espoir, Jeantet n'en avait pas la moindre idée.

Quant à l'*Imprimerie de la Bourse,* c'était une autre sorte d'anonymat qui y régnait; des hommes en longues blouses grises, à la peau grise comme le plomb qu'ils maniaient toute la journée, lui manifestaient une certaine sympathie, mais une sympathie exclusivement professionnelle.

C'était son tour, pour eux, de n'être plus M. Jeantet, mais M. Bernard. Ils le respectaient, l'enviaient sans doute de n'être pas enfermé toute la journée sous la verrière glauque et, après une heure ou deux de travail au marbre, d'avoir le droit de déambuler dans les rues.

Il ne connaissait personne d'autre, en définitive. Des silhouettes. Des visages. La crémière, Mme Dorin, et son mari à moustaches brunes qui partait pour les halles chaque matin à cinq heures, leur bonne au visage rouge qui livrait le lait, le boucher, la boulangère revêche, le patron alsacien de la brasserie, une foule, bien sûr, mais pas plus consistante que sur les photographies d'écoliers en rangs qu'on prend en fin d'année scolaire.

Il connaissait Jeanne. Or, justement, quelqu'un qui ne la connaissait pas et qui, par déformation professionnelle, classait les êtres humains en catégories, prétendait la connaître mieux que lui.

Or, elle était bien morte, non? L'inspecteur Gordes n'avait-il pas prétendu, le mercredi soir, qu'elle était vivante? Alors?

Ce matin, il s'était montré plus humain, parce qu'on parle toujours d'une certaine façon aux gens qui viennent d'avoir un malheur. Au dernier moment, il n'avait quand même pas pu se retenir d'une dernière allusion à son fameux *cas sur mille*.

Jeantet mangeait. Il suivait les passants des yeux. Il écoutait toujours, sans en avoir l'air, la conversation des trois hommes qui avaient commandé de l'armagnac avec leur café. Lui-même, qui buvait d'habitude fort peu de vin, vidait sans s'en apercevoir la carafe de vin blanc couverte de buée.

Il n'acceptait pas encore de penser aux problèmes qui allaient se poser à son retour, tout à l'heure, dans le logement de la porte Saint-Denis, où il prendrait en quelque sorte possession de sa solitude. Il devait d'abord régler la question de la lettre.

Il arriva au commissariat à deux heures cinq. Le brigadier, qui l'avait déjà reçu, leva les yeux vers l'horloge.

— Vous êtes un peu en avance...

Sur le banc, il retrouvait les mêmes visages, dans le même ordre; un des jeunes gens dormait, la tête appuyée au mur, la bouche ouverte, le col de sa chemise largement écarté.

— Venez par ici... Je vais vous conduire dans leur bureau...

Il franchit un portillon et on l'introduisit dans une grande pièce meublée de six tables. Il n'y avait personne. On lui désigna une chaise.

— Asseyez-vous. Ils ne tarderont plus...

Sur une des tables, où on avait repoussé la machine à écrire, il fut surpris de voir des robes, du linge, des souliers, pêle-mêle, comme pour un déménagement ou un départ en voyage. Il n'osa pas se lever, aller voir de plus près. La porte était restée ouverte et il préférait ne pas se montrer indiscret. Etaient-ce les vêtements dont Gordes lui avait parlé, ceux qu'on avait trouvés dans l'armoire?

Ils étaient aussi différents de ceux que Jeanne portait d'habitude que le restaurant où il venait de déjeuner l'était du restaurant de chauffeurs de la rue Sainte-Apolline. Tout était soyeux, léger, clair et fleuri; cela faisait davantage penser aux photographies des magazines ou aux actrices sur la scène qu'aux femmes qu'on croise dans la rue.

Les souliers avaient des talons si hauts, si pointus qu'il devait être impossible de marcher avec; une paire était en lamé argent, des pantoufles, à côté, en velours vieux rose, garnies de cygne blanc.

Il s'épongea, hésita à allumer une cigarette, ne le fit pas, bien que, sur les tables, des cendriers fussent pleins de mégots.

Il entendit des voix, à côté.

— Quelqu'un attend dans le bureau...

— Qui?

Un chuchotement. On parlait de lui, du mari, du veuf. Deux hommes entrèrent ensemble, qu'il fut à peu près sûr d'avoir aperçus le matin, et il se leva.

— Inspecteur Massombre, se présenta l'un en prenant place à son bureau tandis que l'autre se dirigeait vers un placard, au fond de la pièce, pour y accrocher son veston. Le commissaire vous a convoqué pour demain à neuf heures. Le papier doit déjà être chez vous, car on l'a envoyé par cycliste.

L'inspecteur prit une cigarette, tendit son paquet de Gitanes.

— Vous fumez?

— Oui, merci.

De son côté, Jeantet tendit une allumette enflammée. Le policier était plus jeune que Gordes, plus élégant, d'une élégance qui rappelait celle de ses voisins du restaurant.

— Il paraît que vous avez un renseignement à me demander?

— Vous étiez à l'hôtel ce matin?

— Sauvegrain et moi y sommes arrivés les premiers.

D'après son regard, Sauvegrain était celui qui venait de retirer son veston et qui commençait à taper à la machine avec deux doigts.

— Dans ce cas, c'est sans doute vous qui avez la lettre?

Jeantet ne tournait pas tout à fait le dos à

l'inspecteur Sauvegrain. Il ne le voyait pas de face non plus. Ce n'était pour lui qu'une silhouette, juste à la limite de son champ de vision. Il eut pourtant l'impression nette, la quasi-certitude que, d'un geste machinal, Sauvegrain tâtait ses poches. D'ailleurs, le cliquetis de la machine cessa un moment de se faire entendre.

Massombre, lui, se montrait surpris.

— De quelle lettre parlez-vous?

— De celle qui se trouvait sur le guéridon, près du seau à champagne.

— Tu as entendu parler de ça, toi?

— Entendu parler de quoi?

N'était-ce pas pour gagner du temps que l'autre répétait les mots?

— D'une lettre trouvée près du seau à champagne.

— Par qui?

— Par qui? répéta Massombre, s'adressant à nouveau à Jeantet.

— Je ne sais pas. Je suis sûr que ma femme m'a écrit.

— Elle a peut-être mis sa lettre à la poste?

— Non. On l'a vue sur le guéridon.

— Qui l'a vue?

— Une femme de chambre.

— Laquelle?

— J'ignore son nom. Une brune, assez forte, d'un certain âge, avec un accent.

— C'est elle qui vous a parlé de la lettre? Vous êtes retourné à l'*Hôtel Gardénia*?

— A midi... Quelques minutes après midi...

Ensuite, je suis venu tout de suite ici et le brigadier m'a dit...

— Tu as l'inventaire, Sauvegrain?

— Je suis occupé à le taper. Tu veux le brouillon?

Des papiers couverts d'écriture au crayon. Les lèvres de l'inspecteur remuèrent tandis qu'il parcourait la liste. On devinait les mots. Tant de robes. Tant de chemises. Tant de paires de souliers. Tant de culottes, de soutiens-gorge. Trois sacs à main...

— Je ne vois pas qu'il soit question d'une lettre...

A cet instant précis, Jeantet tourna la tête et surprit l'inspecteur Sauvegrain qui, dans le placard, tâtait la poche de son veston. Etait-ce un hasard? N'essayait-il pas de donner le change en en retirant un mouchoir?

— Je regrette, monsieur Jeantet. Je ne vois pas du tout ce que cette femme de chambre a voulu dire. Tu as les dépositions? Une femme avec un accent, c'est sûrement l'Italienne, Massoletti, si je me souviens bien...

On lui apporta d'autres feuilles et ses lèvres remuèrent encore.

— Elle ne nous a pas parlé de lettre. Que vous a-t-elle raconté au juste? Attendez! Vous avez demandé à la voir, je suppose? Et c'est vous, le premier, qui avez mentionné une lettre?

— J'étais certain que ma femme...

— Dans ce cas, il est probable qu'elle vous a répondu oui pour ne pas vous faire de peine...

— Elle a vu un inspecteur glisser une enveloppe dans sa poche.

— Elle sait lequel? Elle vous l'a décrit?

— Non.

— Elle a précisé qu'il s'agissait d'une enveloppe?

La sueur perlait au front de Jeantet qui, à chaque réplique, se sentait perdre du terrain.

— Pas exactement, mais...

— Ecoutez. Nous n'avons aucune raison, puisqu'aussi bien vous êtes le mari, de vous cacher quoi que ce soit. Vous êtes marié sous le régime de la communauté des biens? C'est une des questions que le commissaire vous posera demain matin.

— Nous n'avons pas de contrat de mariage.

— Donc, communauté des biens. Dans ce cas, tout ce que vous voyez là-bas, sur cette table, vous appartient.

Il désignait le tas de robes et de lingerie.

— Dès que les formalités seront terminées, vous pourrez...

Jeantet secoua la tête :

— C'est la lettre seule qui m'intéresse.

— On cherchera. Nous ferons tout notre possible... Sauvegrain! assure-toi donc qu'une lettre ne s'est pas glissée là-dedans...

Un autre inspecteur entrait.

— Tu tombes à pic, Varnier... Tu as vu une lettre, toi, ce matin, au *Gardénia*?

— Une femme de chambre prétend qu'il y avait une lettre sur un meuble.

— Sur le guéridon, près de la bouteille de champagne, précisa Jeantet, avec l'impression qu'on cherchait à rendre sa lettre de plus en plus improbable et immatérielle.

— Rien vu.

Sauvegrain, qui avait passé les doigts dans les tissus soyeux, annonçait de son côté :

— Pas le moindre bout de papier.

— Et dans les sacs?

— Rien. Au fait, je ne vois même pas de carte d'identité.

— Ma femme en avait pourtant une.

— Dans un de ces sacs-ci?

— Non. Dans le sien.

— Et où est ce sac?

— Je ne sais pas.

— Elle ne l'a pas laissé chez elle en partant?

— Non.

— Il contenait une forte somme d'argent?

— Quelques centaines de francs.

— Tu ferais mieux de prendre note, Sauvegrain.

— C'est noté.

— Signale-le dans le rapport.

Massombre avait la mine de quelqu'un qui s'attend à des ennuis et regardait Jeantet d'un œil à la fois poli et maussade.

— Soyez sûr que nous mettrons la main sur cette lettre, si elle existe.

— Elle existe.

— Puisque vous êtes ici, vous pourriez nous dire si votre femme a de la famille.

— Ses parents, des frères et sœurs...

— A Paris?

— A Esnandes, près de La Rochelle.

— Tu notes, Sauvegrain?

— Oui. Comment cela s'écrit-il?

Il épela.

— Leur nom?

— Moussu... Le père est boucholeur...

— Qu'est-ce que c'est ça?

— Il élève des moules sur des piquets, au bord de la mer...

— Vous le connaissez?

— Je ne l'ai jamais vu, ni sa femme.

— Où le mariage a t-il eu lieu?

— A la mairie du IIe Arrondissement.

— Les parents ne sont pas venus?

— Non.

Ils n'étaient pas d'accord?

— Ils avaient envoyé leur consentement par écrit.

— Leur fille n'allait pas les voir?

— Pas depuis huit ans. Avant, je ne sais pas.

— Elle n'a pas de famille à Paris?

— Elle m'a parlé d'un frère, qui serait dentiste dans la banlieue.

— Elle ne le fréquentait pas non plus?

— Pas à ma connaissance.

— Personne d'autre?

— Quatre ou cinq sœurs et un second frère, tous en Charente-Maritime.

— Les parents doivent être avertis avant les obsèques. Voulez-vous vous en charger?

Il n'y avait pas pensé. Le mot obsèques lui faisait froncer les sourcils, car cela évoquait des complications qui lui paraissaient redoutables.

— Comment cela va-t-il se passer? demanda-t-il.

— Que voulez-vous dire?

— Demain... Après que...

— Après quoi?

— L'inspecteur Gordes m'a parlé d'autopsie.

— Elle a lieu ce soir, oui. Dès demain matin, lorsque vous aurez vu le commissaire et signé quelques papiers, vous pourrez disposer du corps...

Cela le gênait de se sentir ainsi sous le regard de trois hommes qui, tous les trois, semblaient le considérer comme un phénomène et échangeaient parfois des coups d'œil de connivence.

Il aurait tout aussi bien pu répliquer :

— Pour quoi faire?

Il se tut. La question n'en était pas moins dans ses yeux. Ses mains étaient moites. Il était aussi perdu que le jour, où, nu de la tête aux pieds, honteux de son grand corps à la peau trop blanche, il avait passé, au milieu des rires, le conseil de révision.

— Vous êtes né à Paris?

— A Roubaix.

— Dans ce cas, vous n'avez pas de concession dans un cimetière parisien?

Il fit non de la tête, ahuri.

— Cela dépendra de vous et de la famille. De

vous en premier lieu puisque, comme mari, vous avez tous les droits. Si vous en prenez la charge, elle pourrait être enterrée au cimetière d'Ivry et, dans ce cas, je vous conseille de voir au plus vite une entreprise de pompes funèbres qui s'occupera des formalités. Si la famille préfère la ramener en Charente et si vous êtes d'accord, il faudra prendre des dispositions pour le transport et, à cette saison, avec la chaleur et les vacances, ce ne sera pas facile. Je me demande même, étant donné l'état de... du...

Il n'osait pas dire cadavre.

— ... étant donné les circonstances, si les chemins de fer accepteront...

Jeantet les voyait maintenant à travers la sueur qui perlait à ses cils.

— Quant à la levée du corps, que l'inhumation ait lieu à Ivry ou en province, c'est également à votre choix. Vous avez l'intention de la ramener chez vous?

Faute de préparation, il avait de la peine à comprendre. Il en était encore au passé, à leur vie dans le logement de la porte Saint-Denis, à la lettre, et on lui posait des questions précises auxquelles il ne trouvait aucune réponse.

— Je ne vous demande pas de vous décider tout de suite, et, d'ailleurs, ceci ne me regarde pas. Si je me suis permis de vous en parler, c'est afin que vous puissiez y réfléchir. En général, les familles n'aiment pas que le cortège parte de l'Institut Médico-Légal...

Massombre se levait, lui tendait la main. Les

deux autres restaient assis. Au moment de quitter la pièce, il chercha le regard de Sauvegrain et fut persuadé que celui-ci le faisait exprès de baisser le front sur sa machine à écrire.

Pendant le déjeuner, il se sentait bien, presque en contact avec le monde extérieur, et il lui semblait que la transition ne serait pas trop difficile. Puisqu'il était désormais un veuf, il s'efforcerait de s'adapter à son nouvel état, sans perdre Jeanne pour autant, en lui gardant sa place. Cela, il n'avait pas essayé de leur expliquer, sûr qu'ils n'auraient pas compris.

On venait de l'assommer une fois de plus. Heureusement que, pour l'empêcher de perdre pied tout à fait, il avait des démarches à accomplir, et d'abord, dans un bureau de poste, à écrire, en caractères bâtonnets, un télégramme :

Monsieur et Madame Germain Moussu à Esnandes Charente-Maritime
Jeanne décédée stop attends avis pour obsèques stop Bernard Jeantet

Il ne trouvait rien d'autre à leur dire, aucune formule à ajouter. Il ne les connaissait pas. Il descendit le faubourg Saint-Honoré, comme il l'avait fait le mercredi, sans s'arrêter, cette fois, dans l'immeuble où les bureaux des frères Blumstein occupaient deux étages.

Il avait promis de leur livrer, le mercredi suivant, un travail urgent qu'il serait bien obligé de faire, pas le lendemain, sans doute, à cause de son rendez-vous avec le commissaire et de tout ce qui s'ensuivrait, mais, par exemple, le dimanche.

Il se souvenait d'une agence de pompes funèbres, sur les Boulevards, et il y passa plus d'une demi-heure, en sortit les poches bourrées de prospectus et de prix courants.

Il ne s'était laissé arracher aucune décision, sauf la commande d'un cercueil de chêne, et l'employé avait promis d'aller en personne à l'Institut médico-légal, qui semblait lui être familier, pour prendre les mesures du corps.

On disait le corps. On parlait de la défunte. Cela lui semblait curieux, mais les mots ne le choquaient pas, ne provoquaient chez lui aucune émotion. C'était irréel. Cela ne le regardait pas. On aurait pu tout aussi bien s'entretenir d'une personne totalement inconnue.

Tout à l'heure, au commissariat de la rue de Berry, quand on avait eu l'air de lui donner le choix entre deux cimetières, il avait failli leur lancer avec impatience :

— Faites donc ce qu'il vous plaira !

Quant à l'employé des pompes funèbres, il devait être persuadé que Jeantet était un homme au cœur dur, peut-être enchanté de se voir débarrassé de sa femme.

Ici et là, on le regardait comme un être à part, un original, un phénomène et, parce qu'il n'avait pas eu le courage de se défendre jusqu'au bout, c'était à peu près sûr que, le lendemain, ils allaient apporter le corps dans son logement.

Cela le choquait, il n'aurait pas pu préciser pourquoi.

Ce n'était pas, contrairement à ce qu'ils pouvaient penser, à cause de cette histoire d'hôtel et de suicide.

Peut-être, si Jeanne était morte dans ses bras, boulevard Saint-Denis...

Même alors!... Non! L'employé lui avait montré des photographies de chapelles ardentes, de tentures avec initiales d'argent pour garnir la porte de l'immeuble. Laquelle des deux? Le trou sombre près de la terrasse, côté Boulevard? L'entrée de la rue Sainte-Apolline, en face de l'hôtel meublé?

On lui avait parlé aussi d'une table de certaines dimensions pour le cercueil, en ajoutant vite que, si Jeantet n'en avait pas, on se chargerait de fournir des tréteaux.

Dans quelle pièce mettrait-on tout ça? Dans l'atelier? Dans la salle à manger, ce qui semblait plus logique, puisque c'était le domaine de Jeanne? Mais la salle à manger n'était-elle pas trop petite?

Et pourquoi? Pour lui? Il serait seul, pendant combien de temps, à tourner autour d'un cercueil flanqué de deux bougies allumées...

C'est à peine s'il avait encore envie de rentrer chez lui. Il n'oubliait pas la lettre. Il y pensait plus que jamais, depuis qu'il avait des soupçons, sinon des indices précis.

Certes, il avait questionné un certain temps la femme de chambre italienne avant qu'elle se souvienne de cette lettre, ou d'un papier, ou d'une enveloppe, elle ne savait pas au juste. Mais, d'elle-même, n'avait-elle pas évoqué le geste d'un inspecteur prenant l'objet près de la bouteille de champagne, y jetant un coup d'œil, comme pour lire, et le glissant dans sa poche?

Jeantet ne prétendait pas qu'il y eût là-dedans quoi que ce fût d'équivoque. Il n'accusait pas. Le geste était sans doute naturel, machinal. Ils étaient plusieurs à fouiller la chambre, à relever des indices, mettant de côté ce qui allait servir pour leur rapport. Ils avaient bien emporté les robes, le linge, les souliers, les sacs à main. Ils avaient envoyé le verre et le tube de médicament au laboratoire. On verrait la lettre plus tard...

La preuve qu'il ne se trompait pas, que ce n'était pas pure imagination, c'est que Sauvegrain avait paru gêné, au commissariat, quand il avait été question de lettre. Il s'était fait répéter la question, alors qu'il était sûrement attentif à ce qui se disait. Il avait porté la main à sa poche et, un peu plus tard, Jeantet l'avait surpris dans le placard, où il avait fait semblant de prendre un mouchoir.

La vérité, c'est qu'il avait emporté la lettre et ne savait plus où il l'avait mise. Il refusait de l'admettre. Il allait sans doute la chercher partout mais, s'il ne la trouvait pas, il fallait s'attendre à le voir nier avec énergie.

Jeantet était décidé à l'acculer. Il s'arrangerait, au besoin, pour mettre la femme de chambre en sa présence, et il y avait toutes les chances pour qu'elle le reconnaisse.

Qu'ils gardent le corps, si c'était leur bon plaisir, mais qu'ils lui rendent sa lettre. Elle lui appartenait. Il ne possédait pas une photographie de Jeanne. Il ne récupérerait pas la robe noire, ni son vieux sac à main qui avait disparu avec sa carte d'identité.

Il s'y résignait, à condition qu'il ait la lettre.

Il marchait, sans se rendre compte que des passants se retournaient sur son passage parce qu'il suivait son chemin, de son pas long et mou, sans voir personne, le regard droit devant lui, si loin, si fixe que certains en suivaient curieusement la direction, dépités de n'apercevoir, au lieu d'un spectacle extraordinaire, que des rangs de maisons, un pan de ciel orageux, des autobus, des autos, des milliers d'êtres humains, grands ou petits, gros ou maigres, vêtus de sombre ou de clair, qui s'agitaient en tous sens.

Cela disparut d'un seul coup, comme dans une trappe, quand il traversa la cour obscure où le mari de la concierge travaillait toujours à rempailler sa chaise et quand il s'engagea dans l'escalier dont ses pieds connaissaient chaque marche.

La convocation glissée sous sa porte était jaune. Il la ramassa, pendit son chapeau à sa place, au-dessus de l'imperméable, s'assit dans son fauteuil de cuir et, les jambes allongées, regarda le mur.

CHAPITRE

5

CETTE NUIT-LA, IL put dormir dans son lit, déshabillé, avec des draps, car il n'avait plus à attendre.

C'est à cause de Mlle Couvert qu'il n'avait pas dîné chez lui, comme il en avait l'intention, puisqu'aussi bien il fallait qu'il se réhabitue à préparer ses repas et à manger seul. Alors qu'il allait descendre pour acheter des victuailles dans les boutiques d'alentour, Pierre avait frappé à la porte. Encore assis dans son fauteuil, il récapitulait mentalement la liste de ce qui manquait, décidait de ce qu'il répondrait à Mme Dorin, à la boulangère, au charcutier au cas où on le questionnerait.

— Entre, Pierre...

Le gamin ne bougeait pas, restait dans l'encadrement de la porte, la main sur le bouton, à le regarder comme s'il était devenu un homme différent, un être curieux, et il prononçait d'une voix impersonnelle :

— Mlle Couvert demande si vous voulez bien monter.

Il s'était précipité chez lui en courant. Jeantet l'avait suivi plus lentement et, trouvant la porte contre, avait cru bon de frapper.

— Entrez.

La voix de la vieille fille n'était pas la même que d'habitude non plus. Il sentait que quelque chose de déplaisant allait se passer. Il comprit qu'elle avait pleuré, car elle reniflait encore et tenait un mouchoir à la main. Devant elle, ses lunettes à gros verres, à monture d'acier, étaient posées sur un journal déplié.

Il n'avait jamais aimé l'odeur de ce logement, ni la couturière, en définitive, mais, à cause de Jeanne, et aussi de Pierre, il évitait de le montrer.

Elle ne le regardait pas, tenait la tête tournée vers le journal, exprès, car c'était le genre de personnes qui ne font rien sans intention.

— Quand est-ce que vous l'avez su? demanda-t-elle.

— Ce matin...

— Et vous n'êtes pas monté pour me le dire?

Elle s'essuyait le nez, les yeux.

— Il a fallu que Pierrot me lise le journal pour que je l'apprenne!

Debout dans l'encoignure de la fenêtre, le gamin observait toujours Jeantet, avec une curiosité déjà hostile.

— J'étais ici à me faire du mauvais sang. J'envoyais sans cesse l'enfant aux nouvelles. Et voilà que, tout à coup...

— Je vous demande pardon. J'ai eu beaucoup à faire. J'ai été absent presque toute la journée...

— On vous a dit si elle a souffert?

Il était gêné de ne pas y avoir pensé, ne savait que répondre, continuait à se défendre maladroitement.

— Vous savez, il y a eu tant de formalités à accomplir...

— Comment est-elle?

Il lança un coup d'œil à Pierre et se tut. Prit-elle son silence pour de l'indifférence?

— Quand est-ce qu'on la ramène?

— Il n'y a rien de décidé. Je dois voir le commissaire de police demain matin. J'ai télégraphié aux parents.

— Vous avez averti son frère?

— J'ignore où il habite.

— A Issy-les-Moulineaux.

— C'est elle qui vous l'a dit?

— Elle m'en parlait souvent, et aussi d'une sœur qui est mariée en Angleterre.

— Elle a une sœur mariée en Angleterre?

— Et bien mariée, à un gros propriétaire terrien qui chasse à courre.

Il n'en savait rien et, au lieu de l'en plaindre, elle semblait lui faire grief de son ignorance. Peut-être n'y avait-il rien de vrai dans ces histoires de frère et de sœur. Avec lui aussi, au début, elle avait commencé par raconter des histoires.

— Elle me parlait moins qu'à vous... murmura-t-il, croyant lui faire plaisir.

Il se trompait. Le visage de la vieille se durcissait, comme si elle en savait encore beaucoup plus mais préférait se taire.

— Je faisais ce que je pouvais pour la rendre heureuse...

Il avait l'air de se défendre. Il avait tort. Le regard de Pierre, aigu, allait d'un personnage à l'autre, avec l'air de tout comprendre. Mlle Couvert se taisait un moment, trouvait sa réplique.

— *Elle n'essayait même pas d'être heureuse...*

Il eut peut-être tort, une fois de plus, de ne pas lui demander ce qu'elle voulait au juste. Elle n'avait pas parlé en l'air. Elle devait s'attendre à des questions, et Dieu sait ce qu'elle lui tenait en réserve.

Comme il se taisait, toujours debout, elle soupira :

— Enfin!...

Puis, montrant le journal :

— Vous avez lu?

Il n'avait rien lu. Il n'avait pas eu la curiosité d'ouvrir un journal depuis trois jours. Il parcourut les quelques lignes consacrées à l'événement, en bas de la troisième page : *La nommée Jeanne Jeantet, née Moussu, 28 ans, mariée, sans enfant, habitant boulevard Saint-Denis, à Paris, s'est donné la mort dans une chambre d'hôtel de la rue de Berry en absorbant le contenu d'un tube de gardénal.*

On ne parlait ni du champagne, ni des robes. Le journal ajoutait cependant :

« *Avant de s'étendre sur son lit de mort, la désespérée a couvert celui-ci de roses et on l'a retrouvée un gros bouquet à la main.* »

Il ne prolongea pas sa visite à la vieille. Elle n'essaya pas de le retenir. Elle avait dit ce qu'elle avait à dire et il comprit que, désormais, leurs rapports seraient de plus en plus froids.

Si cela ne l'affectait pas, il y voyait pourtant comme un signe. On lui en voulait, sans raison précise, comme si on le rendait responsable de ce qui était arrivé.

Il n'eut pas le courage d'affronter la crémière, ni surtout la boulangère au visage implacable, aux yeux gris fer dans un visage d'une blancheur impressionnante. Tous les fournisseurs devaient avoir lu le journal ou avoir entendu parler de la nouvelle.

Les policiers, eux aussi, l'avaient regardé d'une façon particulière, équivoque. Etait-ce lui qui n'avait pas trouvé l'attitude convenable en pareil cas?

Il préféra dîner dans un petit restaurant des environs de la République, où le plat du jour était écrit sur une ardoise et où la serveuse avait les jambes sales, une robe noire qui pendait sur un corps fatigué. Il mangea une sorte de ragoût aux épinards, puis des prunes acides. Cela lui était égal. Il continuait à regarder droit devant lui et ce n'était pas parce qu'il réfléchissait. En réalité, il ne se sentait nulle part. Il n'était pas dans la réalité, mais quelque part entre le passé et l'avenir. En somme, il n'y avait pas encore de présent.

Il ouvrit son lit, se déshabilla, tira les rideaux, entendit les talons des filles, sur le trottoir d'en face, qui faisaient toujours le même nombre de pas dans chaque sens.

L'enterrement le tracassait, prenait des proportions terrifiantes. Il finit néanmoins par s'endormir et, quand son réveil sonna, à sept heures du matin, il ne gardait aucun souvenir du déroulement de la nuit.

Il restait du café moulu dans la boîte, pas beaucoup, juste assez pour deux tasses. Il trouva le pain et le lait sur le palier. Comme il n'y avait plus de beurre dans le garde-manger, il prit de la confiture d'abricots que Jeanne achetait pour elle car, d'habitude, il n'en mangeait pas.

Le ciel était devenu d'un gris presque uni. Si des orages avaient éclaté quelque part, il n'y en avait pas eu sur Paris et l'air était plus chaud, plus stagnant que jamais. Les mouches volaient avec un bruit déplaisant, se collaient à la peau.

En passant dans la cour, il se pencha au guichet pour demander à la concierge, qui triait le courrier :

— Pas de télégramme?

— S'il y en avait eu, on vous l'aurait monté.

Alors qu'il s'éloignait, elle sortit de son trou

mal éclairé. Elle avait lu le journal, elle aussi.

— Quand est-ce qu'on la ramène?

— Je ne sais pas.

— Je croyais qu'un enterrement doit toujours avoir lieu dans les trois jours.

Elle ne lui présentait pas de condoléances. Personne n'avait l'idée de lui en présenter. Il était veuf et ce n'était pas un vrai veuf. Est-ce que, sans le connaître autrement que de vue, les gens étaient capables de le sentir?

Le commissaire de police du quartier du Roule se comporta correctement, mais avec une froideur marquée. On avait dû le prévenir que Jeantet était homme à faire des histoires à propos de la fameuse lettre, réelle ou imaginaire.

Il avait sous les yeux le rapport du médecin légiste confirmant l'empoisonnement par absorption d'une dose massive de barbiturique et faisant remonter la mort au mercredi entre dix-neuf et vingt et une heures.

Vers huit heures du soir, en somme, c'est-à-dire alors que Jeantet parlait de sa femme avec l'inspecteur Gordes au commissariat du quartier.

Pour lui, cela ne faisait alors que commencer tandis que, pour elle, c'était déjà fini.

Le Laboratoire Municipal confirmait que le verre trouvé sur la table de nuit avait contenu une forte dose de gardénal et l'Identité Judiciaire, qui l'avait examiné ensuite, n'y avait relevé que des empreintes digitales de la morte.

— Comme vous le voyez, monsieur Jeantet, le suicide ne fait pas de doute. M'avez-vous apporté votre carnet de mariage, ainsi que je vous le demandais dans la convocation?

Il le parcourut.

— D'après le personnel de l'hôtel, les effets trouvés dans la chambre appartenaient à votre femme et vous reviennent donc de droit. Ils vous seront remis contre reçu quand vous le désirerez. Il vous reste à vous rendre à votre mairie pour la déclaration de décès et, en remettant cette feuille à l'employé, cela facilitera les choses.

Jeantet put enfin poser sa question.

— On a retrouvé la lettre?

— On m'a parlé, en effet, de cette lettre que vous réclamez, et j'ai questionné moi-même mes inspecteurs. J'étais sur place, hier matin. Je suis arrivé un des premiers en compagnie de mon secrétaire. J'ai tout lieu de croire que rien n'avait encore été dérangé et je n'ai pas vu de lettre.

— La femme de chambre...

L'autre l'interrompit, s'attendant à cette réplique.

— Je sais. La nommée Massoletti a été interrogée hier après-midi.

Le commissaire se taisait en le regardant.

— Qu'est-ce qu'elle a dit?

Jeantet sentait que toute cette conversation avait été préparée.

— Que vous lui avez donné un bon pourboire et qu'elle a voulu vous faire plaisir.

— Je lui ai donné le pourboire après.

— Ce n'est pas ce qui ressort de sa déclaration. De toute façon, elle affirme qu'elle ne sait rien et qu'elle n'a vu aucun de mes hommes subtiliser une lettre dans la chambre 44.

— Je n'accuse personne. Je pense seulement que...

— Nous laisserons ça pour le moment, si vous voulez bien. J'ai d'autres rendez-vous et ne dispose que de peu de temps.

C'est alors qu'il avait donné des signatures, il ne savait plus combien.

— Vous emportez les effets?

— Non.

— Quand reviendrez-vous les reprendre?

— Je n'ai pas envie de les reprendre.

On l'avait mis de mauvaise humeur. Il était plus que jamais décidé à ne pas abandonner la partie. Auparavant, il était obligé d'en finir avec ce qu'ils appelaient le corps.

Il avait espéré recevoir, dès la veille au soir, un télégramme des parents de Jeanne en réponse au sien et leur silence l'inquiétait. L'employé des pompes funèbres lui avait bien dit que c'était à lui que tout incombait, la chapelle ardente, la levée du corps, le cimetière d'Ivry, à moins qu'il permette aux parents, si ceux-ci en manifestaient l'intention...

Avant de se rendre à la mairie du IIe, il fit un crochet par le boulevard Saint-Denis.

— Toujours pas de télégramme pour moi?

Le mari devait être allé livrer sa chaise, car on ne le voyait pas dans la cour. La lampe était allumée, comme toujours. La concierge épluchait des pommes de terre.

— Non. Il est venu deux personnes, un homme et une femme, qui vous ont demandé.

— Ils ont donné leur nom ?

— Ils ont seulement dit qu'ils étaient les parents de votre femme.

— Où sont-ils ?

— Ils sont restés un bon moment sur le palier, puis dans la cour, à discuter à voix basse. Enfin, ils sont partis, après m'avoir demandé pourquoi le corps n'était pas ici. Je n'ai pas su que répondre. Ils n'avaient pas l'air contents.

— Ils doivent revenir ?

— Ils n'en ont pas parlé.

Il se dirigea à pied vers la mairie, rue de la Banque, pénétra dans le grand bâtiment, suivit des flèches, finit par trouver les bureaux de l'état civil et, enfin, une porte fermée sur laquelle il était écrit : déclarations de décès.

Un couple âgé, un homme et une femme, aussi courts et trapus l'un que l'autre, attendait en silence devant cette porte comme s'il montait la garde. Il se sentit examiné au passage des pieds à la tête, poussa le battant, s'approcha, dans une sorte de couloir, d'un guichet percé dans une cloison de verre dépoli.

Le couple le suivit et, quand il dit son nom à l'employé, la femme prononça à voix haute :

— Je t'avais prévenu que c'était lui !

L'employé paraissait déjà au courant.

— Ce monsieur et cette dame vous attendent depuis un bon moment, expliqua-t-il. Il paraît que vous avez des questions à régler avec eux avant de remplir les formalités.

La femme annonçait, sans aménité :

— Nous sommes les parents de Jeanne.

Et, à son mari, qu'elle poussait du coude :

— Parle-lui, toi, Germain !

Il avait le visage brûlé par le soleil et par l'eau salée. On le sentait mal à l'aise dans son complet noir, dans sa chemise empesée, dans ses souliers vernis qui devaient être trop serrants.

— On a lu le journal, en arrivant ce matin à la gare, commença-t-il. On a pris le train de nuit, parce qu'on ne pouvait pas partir plus tôt et qu'avec l'autre train il faut changer à Poitiers...

Elle l'interrompit, presque menaçante.

— Bref, nous avons su que notre fille s'est suicidée, ce qui n'est jamais arrivé dans la famille. Vous ne ferez croire à personne que, pour qu'elle aille se détruire dans une chambre d'hôtel, elle était heureuse. Je me demandais pourquoi elle n'écrivait pas, ne venait jamais nous voir. En tout cas, il ne sera pas dit que nous l'aurons laissée dans cette sale ville où elle n'a eu que des malheurs...

Elle avait débité son discours d'une haleine, lançait à son mari un coup d'œil satisfait, ajoutait, prenant l'employé à témoin :

— J'ai déjà dit à monsieur que, même si nous devons aller trouver les hautes autorités, il faudra bien qu'on nous la rende, pour qu'elle soit enterrée décemment dans son village où, au moins, il y aura quelqu'un pour fleurir sa tombe...

Jeantet se contenta de prononcer :

— Bien.

Il avait la gorge serrée. L'employé s'étonnait.

— Vous acceptez ?

Il haussa les épaules.

— Il est néanmoins nécessaire que ce soit vous qui déclariez le décès.

— J'ai apporté les papiers.

Comme l'étranger du mercredi au poste de police, à la différence qu'ici on trouvait les siens en règle. Apparemment, il y en avait même un de trop et le fonctionnaire, intrigué, craignant la gaffe, donna un coup de téléphone au commissariat du VIIIe pour demander des explications.

Pendant qu'il remplissait les blancs sur des formulaires, Jeantet murmurait à l'adresse des Moussu :

— Au fait, j'ai commandé le cercueil.

— C'est la moindre des choses, non ?

— Où désirez-vous que je vous le fasse livrer ?

— Ben ! Où est-elle en ce moment ? Est-ce qu'elle est toujours à l'Institut... Comment cela s'appelle-t-il, Germain ?

— J'ai oublié.

— Elle y est toujours, oui.

— Alors... Je suppose que c'est là que ça se passera ?...

— Et après ?

— Quoi, après ? Vous nous enverrez le corps à

Esnandes et c'est tout. N'est-ce pas ce qui a été convenu?

Tout à l'heure, lorsqu'elle parlait du transport du corps, elle avait ajouté :

— Tant pis pour ce que ça coûtera.

Ne rencontrant chez lui, contre toute attente, aucune résistance, elle en profitait pour mettre le transport à son compte.

— Bien.

Il n'était pas d'humeur à discuter, soulagé de n'avoir pas le cercueil chez lui, d'éviter des obsèques qui attireraient tout le quartier.

— Et ses affaires? Qu'est-ce qu'elles vont devenir?

— Quelles affaires?

— Ses vêtements, ses robes, tout ce qu'elle a. Cela pourrait servir à ses sœurs.

Elle était déçue par son mari, qui n'avait pas eu le courage de dire tout ce qu'ils avaient convenu.

— Tu ne voulais pas poser une question, Germain?

Il feignait de chercher dans sa mémoire, rougissait.

— Ah! oui... Au sujet de l'argent...

— Quel argent?

— Elle devait avoir un peu d'argent... Et des meubles... Comme tout le monde, quoi!

— Elle est entrée chez moi avec la seule robe qu'elle portait sur le corps.

— Pourtant, à l'époque, il y avait déjà deux ans qu'elle travaillait...

A quoi bon? L'employé l'appelait, lui réclamait des signatures.

— Voulez-vous signer comme témoin? demandait-il au père.

— Tu crois que je dois?

— Si ce monsieur te le dit...

Elle avait confiance en l'employé, pas en Jeantet, ce gendre qu'ils n'avaient jamais vu et qui avait fait mourir leur fille.

Dans le hall, le couple ne le quittait pas. Sur le perron encore, il semblait se raccrocher à lui, Jeantet se demandait pourquoi.

— Alors, pour les robes?

— Venez avec moi.

Ils marchèrent tous les trois le long des trottoirs. Mme Moussu regardait les boutiques d'un œil critique; dans l'escalier du boulevard Saint-Denis, elle hocha la tête avec compassion.

Le logement ne l'impressionna pas et, ce qu'elle vit du premier coup d'œil, ce fut la machine à coudre.

— Je suppose que c'est à Jeanne? Une de ses sœurs, justement, qui vient de se marier à Nieul, en a besoin d'une...

Elle emporterait la machine, avec les robes qu'elle avait examinées sans enthousiasme.

— C'est tout ce qu'elle avait à se mettre?

Et, à son mari :

— C'est bien la peine de venir vivre à Paris!

Jeantet hésita à les conduire au commissariat de la rue de Berry pour leur remettre les effets trouvés dans la chambre d'hôtel. Les sœurs auraient sans doute été plus satisfaites.

— Comment va-t-on emporter tout ça, Germain ?

— Je suppose que je dois aller chercher un taxi ?

— Vous en trouverez juste en face, sur le Boulevard.

Dès qu'il fut sorti, sa femme attaqua sur un autre front.

— J'espère que vous ne comptez pas venir à Esnandes pour l'enterrement ?

— Je n'y ai pas encore pensé.

— Les gens du pays n'apprécieraient pas de vous voir pleurer devant le cercueil d'une femme que vous avez rendue assez malheureuse pour la pousser à se tuer...

Pour la première fois depuis le mercredi à six heures, il sourit, d'un sourire sans joie, qui n'en indigna pas moins la bonne femme.

— C'est tout ce que vous trouvez à répondre à une mère ?

Le mari remontait l'escalier, essoufflé.

— Viens, Germain ! J'ai hâte de sortir d'ici. Il me semble que j'étouffe. Toi, prends la machine. Je porterai le reste...

Il les regarda partir, chargés de butin, et la femme se retourna pour lui lancer un dernier regard menaçant.

— Surtout, dépêchez-vous d'envoyer le corps... Par Grande Vitesse !...

A l'étage en dessous, il y avait un huissier d'un

côté, de l'autre des gamines qui confectionnaient des fleurs artificielles, sans doute pour les couronnes mortuaires. Cela ne l'avait jamais frappé. La vieille demoiselle presque aveugle, au-dessus de sa tête, lui en voulait de ce que, selon son expression, Jeanne *ne cherchait même pas à être heureuse.*

Sur le moment, il avait enregistré les mots sans plus. Maintenant, il se demandait ce que Mlle Couvert avait voulu dire au juste. Il n'avait pas le temps d'y penser tout de suite. Il valait mieux en finir avec les formalités, tenir sa promesse aux gens d'Esnandes qui étaient ses beaux-parents.

L'employé des pompes funèbres fut déçu de perdre la commande de la chapelle ardente et d'un enterrement à Paris. Il ne cacha pas sa désapprobation.

— Si c'est vraiment le vœu de la famille...

Il ne le croyait qu'à moitié, soupçonnait son client de se débarrasser d'une corvée.

Pendant que Jeantet parcourait un magazine dans la salle d'attente, il téléphona à la S. N. C. F., puis à son correspondant à La Rochelle, enfin à l'Institut Médico-Légal.

— Les chemins de fer ont soulevé quelques difficultés, mais ont fini par accepter. Vous avez de la chance. Le cercueil sera plus cher, car il doit être conforme à certaines prescriptions. Il partira à dix-sept heures, par Grande Vitesse, sera demain matin à La Rochelle, où une voiture mortuaire le conduira à Esnandes. Vous avez l'adresse exacte?

— Non. Je suppose que Germain Moussu, boucholeur, à Esnandes, suffira.

— Je suis obligé de vous demander de payer d'avance. Si vous permettez encore un instant...

Il se livra à des calculs, consulta des barèmes, téléphona à d'autres services, dut rappeler la S. N. C. F., ajouter les taxes, les pourboires.

Enfin, il tendit à Jeantet une longue addition.

— Vous payez par chèque?

— Non.

Il avait l'argent en poche, compta les billets que l'employé recompta à son tour.

— Vous prenez aussi le train de dix-sept heures?

Il fit non de la tête, s'éloigna indifférent à l'opinion qu'il laissait de lui.

Cette fois, il pouvait croire que c'était fini, qu'il s'était débarrassé du *corps* et qu'il allait reprendre en paix son tête-à-tête avec Jeanne. Ce fut lui, pourtant, qui retarda ce moment auquel il aspirait.

Il venait de mettre en marche, moyennant une somme plus importante qu'il l'avait prévu, un mécanisme qui, sans qu'il eût désormais à intervenir, rendrait au cimetière d'Esnandes la jeune fille partie pour Paris dix ans plus tôt.

Toutes les signatures étaient données, les moindres pourboires prévus, y compris celui de l'enfant de chœur du village. Désormais, lui, Bernard Jeantet, n'existait plus dans cette affaire, dont on lui avait fait comprendre qu'il valait mieux se tenir éloigné.

Sur le Boulevard, soudain, alors que le tonnerre roulait dans le lointain et que le vent soulevait des tourbillons de poussière à ras des trottoirs, il eut envie d'être là, anonyme, dans la foule, au moment où le train partirait.

Il faillit retourner sur ses pas, pour demander à l'employé des pompes funèbres s'il était sûr que le fourgon serait accroché au train de voyageurs.

Puis il changea d'avis. Il n'avait pas le courage d'attendre cinq heures, ni surtout de voir ses beaux-parents s'embarquer avec la machine à coudre et les robes de Jeanne.

Il marcha longtemps, sans s'arrêter pour s'éponger le visage. Déjà la veille, il avait marché de la sorte, mais, aujourd'hui, il avait un but.

Gagnant les quais, il arriva à hauteur du pont d'Austerlitz, repéra le bâtiment moderne de ce qu'on appelait autrefois la morgue et qui était à présent l'Institut médico-légal.

La façade faisait penser à une grande entreprise commerciale, ou à une école supérieure. Un fourgon automobile, d'un modèle insolite, était arrêté devant la porte, avec un chauffeur au volant. Il ne vit entrer ni sortir personne. On ne venait pas encore chercher le corps de Jeanne, bien entendu, mais sans doute avait-on amené quelqu'un d'autre?

S'il en avait demandé l'autorisation, l'aurait-on

laissé entrer dans l'immeuble, tout au moins dans les couloirs? Il hésita. Il valait mieux pas. De grosses gouttes commençaient à tomber, qui ricochaient sur la Seine et crépitaient sur le pavé. Les passants couraient se mettre à l'abri. En quelques instants, les trottoirs étaient luisants et les autos commençaient à lancer des éclaboussures.

Il souriait, non pas d'un sourire heureux, mais d'un sourire que Jeanne lui connaissait bien et qui l'intriguait toujours.

— Pourquoi souris-tu?

— Pour rien, répondait-il.

— On dirait que tu te moques.

— Je ne me suis jamais moqué de toi.

— De qui, alors?

— De personne.

Il avait envie d'enlever son chapeau pour laisser l'eau ruisseler sur sa tête pendant qu'il regardait une à une les fenêtres du vaste bâtiment, comme des parents d'élèves, au début de l'année scolaire, s'efforcent de reconnaître la classe de leur enfant.

Jeanne était là, derrière les murs, derrière ces fenêtres, plus pour longtemps, et elle allait refaire en sens inverse le voyage qu'elle n'avait accompli qu'une seule fois.

— Tu es heureux, Bernard?

C'était son fameux sourire qui lui inspirait invariablement cette question.

— Pourquoi ne réponds-tu pas?

— Parce que je ne sais pas quoi répondre.

— Tu n'es pas heureux?

— Je ne suis pas malheureux.

Elle insistait :

— Mais tu n'es pas heureux?

Il se taisait.

— A cause de moi?

— Non.

— Tu en es sûr?

— Certain.

— Tu ne regrettes pas?

— Non.

Ces jours-là, un peu plus tard, il l'entendait renifler dans la pièce voisine. Elle s'efforçait de pleurer sans bruit.

Ils avaient eu beaucoup de patience, tous les deux. Ils avaient fourni un grand effort, ou plutôt de multiples petits efforts quasi quotidiens.

L'agent de la circulation, dont le ciré dégoulinait, devait se demander ce qu'il faisait là, grand et mou, tout seul au bord du trottoir, à recevoir la pluie sans broncher. Il ne pouvait pas se douter que c'était, à travers les murs, leur dernier contact. On ne leur en avait pas permis d'autre. D'ailleurs, à quoi cela aurait-il servi?

— Tu es heureuse, Jeanne?

Elle s'empressait de lui sourire, un peu trop vite. Elle était capable, d'une seconde à l'autre, de mettre une étincelle dans ses yeux.

— Pourquoi me le demandes-tu?

— Parce que je ne suis pas certain de te rendre heureuse.

— Tu sais bien que tu es le meilleur des hommes.

Non.

— Avec toi, je suis heureuse.

Avec toi! Il y avait souvent pensé. Il y avait huit ans qu'il l'observait. Certains jours, il croyait comprendre. D'autres fois, il se demandait si, dès le début, il n'avait pas fait fausse route.

— Il ne t'arrive pas de t'ennuyer?

— Pourquoi m'ennuierais-je?

Il les écoutait, elle et Pierre, quand ils étaient tous les deux dans la salle à manger et que lui-même travaillait dans l'atelier. Il entendait des éclats de rires, des phrases qui ne signifiaient pas grand-chose mais qui pétillaient de gaieté.

Certains soirs, seule dans son lit, elle était prise de panique, il le savait, car il avait appris à reconnaître une certaine façon qu'elle avait de se tourner et de se retourner, un certain rythme de sa respiration.

— Tu ne parviens pas à dormir?

— Non.

Il ne lui demandait pas pourquuoi. C'était lui qui allait lui chercher un comprimé de gardénal et un verre d'eau dans la salle de bains.

— Bois.

— Tu n'es pas fatigué de moi?

Il lui caressait les cheveux.

— Tu le seras un jour... C'est fatal... Et alors...

L'eau avait transpercé son veston, collé sa

chemise à sa peau et il y en avait, glacée, plein ses souliers.

Il lui lançait un dernier regard. Le fourgon restait immobile au pied des marches. Un homme sortait, ouvrait son parapluie et se mettait à gesticuler pour appeler un taxi.

Il fallait partir. Il n'avait aucune raison de rester là. Il se remit en marche, eut le courage de ne pas se retourner. Il était content de cette bourrasque qui l'enveloppait et retrouvait son pas caractéristique qui le faisait reconnaître de loin.

— Même si je ne voyais que tes jambes, à deux cents mètres...

Elle aussi l'observait, attentive à ses tics, à ses manies, à un léger frémissement de sa lèvre supérieure, en particulier, quand il était en proie à une émotion. Pas nécessairement une émotion violente. Pas non plus pour une raison grave, ou sérieuse. Au contraire, c'était presque toujours pour une cause futile, une pensée involontaire, une image qui lui revenait à l'esprit, un mot, le regard d'un passant.

— Qu'est-ce que tu as, Bernard?

— Qu'est-ce que j'aurais?

— A quoi penses-tu?

— Je ne pense même pas.

Elle cherchait obstinément, silencieusement. Cela l'agaçait. Il savait que, neuf fois sur dix, elle finissait par trouver et, même si elle ne disait rien de sa découverte, il n'aimait pas être mis à nu.

Il ne s'était pas trompé en prévoyant le moment où cela commencerait. Maintenant qu'il en avait fini avec le corps, avec les obsèques, les papiers, les autorités et la famille, il se retrouvait seul avec elle.

Tout à coup, il sauta en marche sur un autobus dont il venait de lire la destination. Les voyageurs s'écartaient de lui parce qu'il était détrempé. Il essaya d'allumer une cigarette, qui fondit dans ses doigts mouillés.

Cela ne faisait rien. Il arriverait à savoir, d'autant plus qu'il ne désespérait pas de retrouver la lettre. On était samedi. Demain, dimanche, il travaillerait à sa mise en page pour *Art et Vie*. Il souhaitait que la pluie continue, car il aimait être penché sur sa planche à dessin, près de la fenêtre qui donnait sur le Boulevard, quand la pluie zigzaguait sur les vitres.

Il ne mangerait plus au restaurant, pas même aujourd'hui midi. Il allait reprendre tout de suite ses anciennes habitudes, celles d'avant Jeanne.

Dès ses débuts à Paris, quand il avait déniché, par hasard, le logement de la porte Saint-Denis, si délabré que personne n'en voulait, il s'était astreint à préparer ses repas. Le matin, il allait acheter de la viande, des légumes cuits, du fromage, des fruits, parfois de la pâtisserie. En rentrant, il allumait le gaz, remplissait les casseroles, mettait la table.

C'était rare qu'il laisse traîner de la vaisselle sale et, à cette époque-là, il ne prenait la femme de ménage qu'une demi-journée par semaine. Il ne la retrouverait sans doute pas. C'était la veuve d'un garde municipal et, si elle vivait encore, elle était trop âgée pour travailler.

Qu'allait-il répondre, si Mlle Couvert le questionnait encore au sujet des obsèques? Il ne désirait pas la choquer. La concierge non plus, ni personne. Il s'était toujours efforcé de ne pas choquer les gens.

Il leur dirait que la famille de sa femme tenait à ce que celle-ci soit enterrée dans son village. C'était à peu près la vérité. Pas tout à fait. C'était devenu la vérité, étrangement, d'ailleurs. Il n'en aurait pas moins eu le droit de ramener Jeanne chez lui.

Il entrait dans la boutique blanche de Mme Dorin, qui avait la poitrine haute et forte, presque sous le menton. Elle le regardait d'un œil sombre.

— Alors, monsieur Jeantet, qui est-ce qui aurait cru ça?

Il essayait de calquer son expression sur la sienne.

— C'est vrai que ses vieux sont arrivés ce matin? Quel coup pour ces pauvres gens!

Autant s'en débarrasser tout de suite.

— Ils ont insisté pour qu'elle soit enterrée à Esnandes... dit-il très vite.

— Je les comprends. Je ne voudrais pour rien au monde être enterrée dans un de ces cimetières modernes qu'ils créent autour de Paris. Où est-ce?

— En Charente-Maritime.

— Je la croyais des environs de Bayonne.

— Non.

— C'est quand?

— Demain.

— Vous partez ce soir?

— Je ne sais pas encore. Donnez-moi une livre de beurre, une demi-douzaine d'œufs, un camembert... Mettez-moi aussi une demi-livre de haricots verts...

Il passa chez l'épicier, chez le boucher et, comme il n'avait pas de sac à provisions, les paquets mouillés s'empilaient sur son bras.

La pluie tombait de plus belle, en rafales aveuglantes, les gouttes rebondissaient, des ruisseaux grossissaient à vue d'œil le long des trottoirs, envahissaient une partie de la chaussée. Des coups de tonnerre éclataient juste au-dessus des toits et, dans la pénombre des boutiques, on voyait des bonnes femmes se signer à chaque éclair.

Il montait l'escalier. Sur le palier, il avait de la peine à prendre la clef dans sa poche sans laisser tomber ses paquets. Il y arrivait. Il était arrivé.

Déposant ses emplettes sur la table de cuisine, il se précipitait pour fermer les fenêtres, car il y avait déjà des flaques d'eau sur le plancher.

Puis il retirait son veston et se mettait à faire son petit ménage.

Fin de la Première Partie

SECONDE PARTIE

LA VIE DES AUTRES

CHAPITRE

I

SA NOUVELLE VIE n'était pas très différente de l'ancienne, dont elle avait conservé à peu près le rythme. Il continuait à passer un certain nombre d'heures par jour devant sa planche à dessin, travaillant lentement, car il était méticuleux, s'interrompant pour tailler ses crayons, nettoyer ses pinceaux et ses plumes, pour regarder par la fenêtre ou encore parce que son regard accrochait un objet, une tache, n'importe quoi dans le logement.

Peut-être passait-il plus de temps dans son fauteuil que du vivant de Jeanne et lui arrivait-il d'y perdre conscience de la fuite du temps?

Les jours se suivaient, calmes et vides en apparence. On aurait pu croire qu'il menait une existence paresseuse, car il était seul à connaître le travail souterrain qui se poursuivait en lui.

Il ne se passait rien. Les événements extérieurs

étaient insignifiants et pourtant il s'y montrait attentif, comme s'il ne voulait rien perdre, comme si tout comptait. Il triait, classait dans sa tête; souvent, il allait chercher dans sa mémoire, pour une comparaison, pour une confrontation, un menu fait du passé.

Ce n'était pas un monologue continu, un raisonnement appelant des conclusions logiques. A sa table, dans son fauteuil ou dans la rue, il lui venait des bouts d'idées; il les tournait et les retournait sur toutes leurs faces avant de les mettre de côté pour plus tard, comme des pièces de puzzle qui finiront par trouver leur place.

Il n'était pas pressé. Au contraire, il aurait plutôt eu peur de trouver trop vite.

Il faisait son marché, sa cuisine, sa vaisselle. Les commerçants s'habituaient à le voir chaque matin à la même heure, poli, effacé, attendant son tour en regardant vaguement le comptoir, des boîtes de conserve ou un quartier de bœuf qui pendait à son crochet. Il n'ignorait pas que des clientes se poussaient du coude, échangeaient des coups d'œil derrière son dos et que, dès qu'il sortait, les langues allaient leur train.

Il était devenu un personnage : le veuf, le mari de la femme qui était allée se suicider dans une chambre d'hôtel, aux Champs-Elysées.

Il aurait pu éviter la curiosité. Il lui aurait suffi de faire ses achats deux cents mètres plus loin, de traverser par exemple le boulevard Sébastopol. Il se serait trouvé ainsi dans un quartier différent, où il était inconnu.

L'idée ne lui en venait pas. Il tenait à ses habitudes, à une certain nombre de visages familiers. Toute sa vie, il avait eu besoin d'une routine et il ne se résignait jamais qu'à contrecœur à en changer.

Pour trouver une femme de ménage, il avait dû remonter très haut le faubourg Saint-Denis, interrogeant les concierges, les commerçants, gravissant vingt fois cinq ou six étages. Des femmes qui, toutes, avaient plus de cinquante ans, souvent soixante-dix, hochaient la tête : leurs heures étaient toutes prises; ou bien il habitait trop loin et elles se déplaçaient difficilement.

Mme Blanpain, la dernière, avait consenti à venir une fois par semaine, le vendredi matin. Elle était d'un certain âge, aussi grande et large d'épaules que lui, en plus dur, en plus massif. Elle vivait avec sa fille, qui préparait le Conservatoire.

Elle ne savait rien du suicide. Le nom de Jeantet ne lui avait pas rappelé l'entrefilet paru dans les journaux; elle ne l'avait sans doute pas lu.

Dès sa première matinée, elle avait entrepris de nettoyer à fond la cuisine, puis s'était attaquée aux placards.

— Je ne sais pas qui était la dame qui vivait ici, et cela ne me regarde pas, mais, ce que je peux dire, c'est qu'elle n'était pas très méticuleuse.

Elle avait ajouté, par crainte de l'avoir blessé :

— Peut-être travaillait-elle dehors et n'avait-elle pas beaucoup de temps à consacrer à son ménage?...

Elle retrouvait des épingles à cheveux, un peigne cassé derrière une armoire, et même une vieille pantoufle dont Jeantet ne se souvenait pas.

Il ne s'était jamais aperçu de la négligence de Jeanne.

— Si je pouvais me libérer une journée entière, la semaine prochaine, et si vous êtes d'accord, bien entendu, j'en profiterais pour laver les murs, qui en ont grand besoin. On y verrait plus clair.

Elle l'avait fait. Pour nettoyer la salle à manger, elle était obligée de traîner le lit replié d'un coin à l'autre. Elle le trouvait toujours sur son chemin.

— Vous vous en servez, de cette vieillerie qui prend tant de place? Je connais quelqu'un, dans mon immeuble, qui cherche un lit pour une parente arrivée de province. Si vous n'en demandiez pas trop cher...

Elle avait décousu quelques centimètres du matelas, afin de savoir ce qu'il y avait dedans.

— C'est de la laine. Mais il y a longtemps qu'elle n'est pas passée chez le cardeur...

Un petit vieux était venu chercher le lit à l'aide d'une charrette à bras. Cela lui rappela celle qu'il avait aperçue à un feu rouge, le mercredi où il avait trouvé le logement vide, et qu'il avait suivie des yeux sans raison.

Ainsi, les images s'enchevêtraient. Il revoyait une autre charrette à bras, qu'il avait poussée lui-même, à Roubaix, quand il avait une douzaine d'années et qu'il était allé chercher une armoire de cuisine achetée par sa mère à la salle des ventes.

Son frère lui avait téléphoné, le premier dimanche. Dans la matinée, il travaillait, comme il se l'était promis, devant la fenêtre, et la pluie tombait, moins abondante que la veille, suffisante pour tracer des dessins fluides sur les vitres. La sonnerie l'avait fait sursauter. Il avait pensé à tout, à la police, aux pompes funèbres, à la S. N. C. F., mais pas à son frère.

— C'est Lucien qui te parle. J'ai appris la nouvelle par le journal. Ma femme et moi tenons à te présenter nos condoléances.

— Merci, Lucien.

— Comment vas-tu?

— Pas mal.

— Nous n'avons pas reçu de faire-part et nous nous demandons si l'enterrement a déjà eu lieu...

Cette phrase-là, c'était sa femme qui la lui avait soufflée.

— Ses parents ont préféré emmener le corps dans leur village.

— Tu n'es pas trop abattu? Tu ne viendras pas nous voir un de ces jours?

— Peut-être... Sans doute...

— Blanche ne doit pas être au courant, car elle est en vacances à Divonne-les-Bains. Tu ne l'as pas vue, ces derniers temps?

— Non.

— Nous non plus. Sa vie reste toujours aussi

mystérieuse. Si nous savons qu'elle est à Divonne, c'est parce qu'elle a envoyé une carte postale aux enfants... A bientôt !...

— A bientôt !...

Peu de temps après avoir épousé Jeanne, il était allé, avec elle, voir son frère et sa belle-sœur, un dimanche, dans leur pavillon d'Alfortville. C'était en décembre et, comme disait Françoise, on ne peut pas juger une maison en hiver, surtout une maison de banlieue. Il se souvenait de pièces si petites qu'on y étouffait. Les trois enfants, à cette époque-là, étaient très jeunes. L'aîné devait avoir huit ou neuf ans et le plus petit se traînait encore par terre.

La femme de Lucien avait tenu à les recevoir au salon, qui ne devait jamais servir et où tout était terne et figé. Elle s'était excusée un moment pour se précipiter dans une pâtisserie du quartier, leur avait servi à goûter. Les enfants criaient. Elle s'en débarrassait, sauf du plus jeune, en les envoyant jouer dehors, les surveillait par la fenêtre, sans cesser de parler, plus exactement de poser des questions.

Lucien, plutôt taciturne, mal à l'aise, observait son frère et sa belle-sœur sans laisser voir ce qu'il pensait.

— Ainsi, vous êtes quand même parvenue à décider mon beau-frère au mariage, feignit de s'extasier Françoise. Lui qui a toujours eu si peur des femmes ! Il y a longtemps que vous le connaissez ?

Les questions succédaient aux questions : où

l'avez-vous rencontré; comment s'y est-il pris pour se déclarer; est-ce que vous aimez les enfants; combien voudriez-vous en avoir?...

— Vous étiez vendeuse dans un magasin? Dactylo? Non? Quel est votre métier? Vos parents vous ont laissée venir seule à Paris? Vous n'y avez pas de famille? Les débuts n'ont pas été trop pénibles?

Ce jour-là, Jeantet découvrit la méchanceté de sa belle-sœur. Sa volubilité, son étourderie cachaient mal un plan préconçu. Elle avait décidé de savoir et il était convaincu qu'après une demi-heure de ce jeu cruel elle avait tout deviné.

Jeanne avait perdu pied, retenait ses larmes, le suppliait du regard de lui venir en aide.

Lucien, lui, ne bronchait pas. Il semblait avoir, une fois pour toutes, acheté la paix par son silence.

Jeanne en était restée abattue pendant plusieurs jours et ce souvenir avait dû lui revenir de loin en loin. Longtemps après, comme ils parlaient tous les deux de la famille en général, elle lui avait demandé :

— Pourquoi n'as-tu pas osé dire la vérité à la tienne? Tu as eu honte?

Il n'était pas sûr qu'elle l'avait cru quand il lui avait affirmé que ce n'était pas pour lui, mais pour elle, qu'il s'était tu. C'était la vérité. Il n'avait pas honte du passé de Jeanne.

— Avoue qu'il t'arrive de regretter...

— Non.

Il était sincère et, maintenant qu'elle n'était

plus là, il s'en rendait mieux compte que jamais.

Plusieurs fois, il avait failli lui dire, quand ils effleuraient ce sujet du passé :

— Vois-tu, c'est justement à cause de ça, au contraire...

Il se retenait à temps. C'était difficile à expliquer, plus difficile à comprendre. Lui-même n'était pas sûr de comprendre.

Il alla chez Lucien le dimanche suivant, trouva son frère épaissi, avec un estomac qui formait bourrelet sous sa chemise blanche et des bras de plus en plus velus. Sa femme, qui avait teint ses cheveux en roux, était devenue extrêmement coquette. On s'assit dans le jardinet où Lucien, jadis, cultivait des légumes et où ne poussaient maintenant que des fleurs.

— Marguerite et Jacques sont allés nager...

Marguerite, la seule fille, devait avoir treize ans; Jacques était celui qui, à sa dernière visite, portait encore des couches.

— Julien, lui, est à l'armée. Il a devancé l'appel, afin d'entrer dans l'aviation. Il est élève-officier à l'école de l'Air de Saint-Raphaël.

Par la fenêtre ouverte, il découvrait un salon modernisé, une cuisine modèle.

— Tu trouves que la maison a changé? C'est malheureux qu'on se soit mis à construire des immeubles de rapport en face de nous. Avant, c'était presque la campagne et on voyait la Seine. A présent, nous nous attendons toujours à être expropriés pour faire place à un nouveau groupe d'H. L. M.

Lucien, qui regardait son frère en fumant sa pipe, remarqua :

— Tu n'as pas trop changé... Quel âge as-tu, au fait?... Trente-neuf?

— Quarante.

— C'est vrai que tu es du mois de juin...

Il se dirigeait vers la maison pour aller chercher du vin. Sa femme en profitait aussitôt :

— Comment cela s'est-il passé? Tu as été mis au courant par la police?

Il répondit d'un geste vague.

— Cela a dû être un coup, je m'en rends compte. Je prétends toujours, quoi qu'en dise Lucien, qu'il n'arrive que ce qui doit arriver, et nous finissons par nous apercevoir que c'est pour notre bien. A mon avis, si tu permets, cette femme n'était pas normale. Elle n'était pas faite pour toi, ni pour ton genre de vie. Cela m'a frappée, la seule fois que je l'aie vue, et j'en ai parlé tout de suite après à ton frère. La vie ne lui a pas été facile, n'est-ce pas? Vois-tu, Bernard, le passé ne s'efface pas, quel que soit le mal qu'on se donne.

Lucien revenait avec une bouteille et des verres.

— Que disiez-vous?

— Je disais à Bernard qu'au fond c'est une bonne chose pour lui. Tu te souviens de notre conversation, il y a huit ans? Ce qui m'étonne, c'est que cela ait duré si longtemps. Il y avait quelque chose, dans ses yeux...

Lucien jeta un coup d'œil à son frère, craignant

de le voir abattu, ou fâché, et il était étonné de surprendre un sourire sur ses lèvres.

— Enfin ! N'en parlons plus ! Ce qui est passé est passé ! Tu es content de tes affaires ?

— Je travaille beaucoup.

Parce qu'il avait débuté comme apprenti dans une petite imprimerie de Roubaix, sa famille le voyait toujours, en blouse grise, devant une presse.

— Je suis en quelque sorte à mon compte. Je travaille pour des magazines et des éditeurs.

— Ça paie ?

— Assez.

— Tu n'es pas allé voir maman ?

— Non.

— Nous y sommes allés à Noël, avec les enfants. Elle ne change pas. On jurerait qu'au lieu de vieillir elle rajeunit. C'est Poulard qui est en train de s'en aller tout doucement. Quand nous étions là-bas, il ne quittait plus son fauteuil et un voisin, le soir, venait aider maman à le hisser dans son lit. Le fils Méreau, tiens, avec qui tu es allé à l'école et qui a maintenant un magasin d'appareils de radio. Tu te souviens de Méreau ?

— Un roux ?

— Oui. Il habite à côté de l'estaminet dont maman ne tardera plus à être la seule propriétaire. En fait, elle l'est déjà.

— Il me semblait que Poulard avait une fille ?

Ils parlaient du second mari de leur mère.

— Elle vit toujours. Elle a quitté son mari et ses enfants pour venir à Paris.

— Elle héritera donc au moins d'une partie.

— Pas du fonds de commerce, car maman a obtenu de Poulard qu'il lui fasse un don entre vifs.

Ensuite, ils n'avaient plus parlé de Poulard, ni de Jeanne, mais de lui.

— Tu ne te sens pas trop seul?

— Je m'habitue.

— Tu as trouvé quelqu'un pour ton ménage?

A quoi bon leur avouer qu'il s'en chargeait six jours sur sept?

— Tu dînes avec nous? Les enfants ne tarderont pas à rentrer. Ils se souviennent à peine de toi et cela leur fera plaisir de connaître enfin leur oncle...

— Il faut que je rentre à Paris...

Il n'aurait pas pu dire en quoi cette visite lui avait été utile; cependant, il était sûr que ça n'avait pas été du temps perdu.

Certains mots de sa belle-sœur lui rappelaient la phrase de Mlle Couvert :

— *Elle n'essayait même pas d'être heureuse...*

Jeanne avait vécu avec lui pendant huit ans, dans un espace de quelques mètres carrés entouré de murs, isolé en outre par un plancher et un plafond. Or, déjà, il avait une certaine peine à imaginer son visage, à revoir sa silhouette aux endroits où elle avait l'habitude de se tenir.

L'image restait floue, ne paraissait pas vraie. Il pensait, par exemple, à sa robe noire, à la blancheur de sa peau, à ses cheveux qui retombaient sur une joue, à ses pieds nus dans des pantoufles. Elle était assise devant sa machine. Pierre descendait avec ses livres de classe et ses cahiers...

— *Vous permettez, monsieur Bernard?...*

De sa place, il entendait les voix de Jeanne et du gamin, le bourdonnement de la machine à coudre. Pierre lisait un problème d'arithmétique où il était question de barriques de vin à tant le litre et d'autres barriques à tant...

Jeanne s'encadrait dans la porte, le livre à la main.

— *Tu as un instant? Tu comprends ce problème, toi?*

Il n'arrivait pas à la revoir comme elle était dans ces moments-là.

Le matin, elle sortait, nue, de la salle de bains; souvent elle avait quelque chose à surveiller sur le réchaud à gaz avant de passer un vêtement. Il connaissait la forme, la couleur, la consistance de son corps, mais cela lui semblait à présent irréel.

Elle n'avait pas compris, la première fois, quand, un soir, elle avait voulu se glisser dans son lit, croyant lui faire plaisir, et qu'il l'avait repoussée. Elle s'était méprise.

— Je vous demande pardon... avait-elle balbutié, en ramassant la veste de pyjama qu'il lui avait prêtée.

Ils se disaient encore vous. C'était avant la visite de l'inspecteur Gordes, dont Jeantet ignorait l'existence. La joue de la jeune fille était loin d'être cicatrisée.

Il devait être minuit. Les lampes étaient éteintes et l'atelier n'était éclairé, par intermittence, que par l'enseigne au néon de l'horloger.

Il avait tendu la main pour saisir la main de Jeanne, qui avait fini par s'asseoir au bord du divan.

— Ce n'est pas ça... avait-il chuchoté.

Elle ne le croyait pas, se contenait pour ne pas pleurer; des larmes finissaient néanmoins par couler sur ses joues et il en reçut une sur le dos de la main.

— Vous dites ça pour ne pas m'humilier. C'est moi qui ai eu tort. Demain, je m'en irai. Vous avez été bon pour moi et j'aurais dû comprendre tout de suite...

Sans cette étrange demi-obscurité, il n'aurait pas osé.

— Venez plus près de moi...

— Avouez que c'est pour me faire plaisir...

— Non...

Il lui parlait à l'oreille et, après quelques instants, il ne savait plus si les larmes qui mouillaient sa joue étaient celles de Jeanne ou les siennes.

Il s'efforçait de lui faire comprendre, en évitant les mots trop précis, qu'il n'était pas sûr de pouvoir, que c'était pour cela qu'il l'avait repoussée, qu'il n'était jamais parvenu à avoir une femme tout à fait...

Sans la voir, il devinait chez elle de la stupeur,

puis de la pitié, enfin, plus tard, une sorte de tendresse.

Ils étaient l'un contre l'autre.

— Vous avez vraiment essayé?

— Oui.

— Souvent?

— Assez souvent.

Il crut comprendre qu'elle désignait la porte de l'hôtel meublé, de l'autre côté de la rue.

— Avec...?

Elle non plus n'osait pas dire les mots. Après un silence, elle reprenait, dans un souffle :

— Chut!... Ne parlez plus... Laissez-moi faire...

Il avait honte. Dix fois, il avait tenté de la repousser. Jamais il ne s'était senti si loin de tout. Paris, les rues, les maisons, les passants, les bruits, rien n'existait plus. Bernard Jeantet n'existait plus. Il était un corps soudé à un autre corps. Il entendait une autre respiration que la sienne, sentait battre un cœur qui n'était pas le sien.

Il avait envie de lui dire :

— A quoi bon, puisque ce n'est pas possible?...

Toutes les humiliations lui revenaient, de très loin, lui tournaient sur le cœur.

Rallumer, reprendre pied dans le réel, dans le quotidien... Chaque fois qu'il bougeait, elle se raccrochait en répétant :

— Chut!...

Et on aurait dit, petit à petit, qu'elle le pénétrait de sa volonté, de sa confiance. Son corps communiquait au sien son rythme, sa vie.

A chaque nouvelle chute, il se débattait, et elle continuait à en faire une affaire personnelle.

Cela dura trois heures, pendant lesquelles il eut l'impression, cent fois, de sombrer dans un gouffre sombre et désespérant, parsemé de lueurs qui s'éteignaient à peine entrevues, les trois heures les plus douloureuses et les plus merveilleuses de sa vie.

Il se souviendrait toujours d'un cri de femme, rauque, triomphant :

— Tu vois !

Il pleurait, de joie, cette fois. Elle pleurait, elle, en outre, de fatigue, d'énervement. Elle venait de le tutoyer et elle restait étendue, sa joue contre sa joue.

— Content?

Alors, doucement, avec une tendresse qu'il découvrait, il l'avait serrée dans ses bras et, d'une main hésitante dans le noir, à cause de la cicatrice douloureuse, il lui avait caressé les cheveux.

Ils s'étaient tus longtemps. Plus tard, il avait murmuré, d'une voix à peine perceptible :

— Tu ne t'en iras pas?

Elle lui avait pressé le bout des doigts, comme pour sceller un pacte.

— Tu es sûre que tu pourras vivre avec moi?

— Oui.

— Malgré... ?

Elle avait ri.

— La preuve !

— Mais...

— Tais-toi ! Il est temps que tu dormes... Tu as du travail, demain matin...

Elle s'était dégagée, l'avait embrassé au front, l'air réfléchi, comme si cela avait un sens à ses yeux, et il avait vu son corps clair se diriger vers la porte.

Dans son esprit à lui, c'était leur nuit, la plus importante de son existence. Le matin, il n'osait pas ouvrir les yeux. Il l'entendait aller et venir dans l'étroite cuisine. Elle avait passé sa robe noire. Elle était lavée, coiffée, sauf une mèche de cheveux, toujours la même, qui tombait sur sa joue. Elle apportait du café en lui souriant avec timidité, comme si elle craignait, elle aussi, que cela ne continue pas.

Elle faillit lui dire vous, ce qui aurait rendu la suite plus difficile. Le devinant, elle se força :

— Tu as bien dormi ?

Le mauvais, le honteux, le pénible était passé. Il ne restait que le bon, le triomphant cri de victoire dans la chaleur humaine du lit.

— *Tu vois !*

Ils n'en avaient plus parlé, jamais. Elle reconnaissait à certains signes, que lui-même ignorait, les soirs où elle pouvait aller le retrouver. Peut-être le faisait-elle exprès de traîner plus longtemps en déshabillé ? Elle lui disait bonsoir comme d'habitude. Quant à lui, il lui arrivait de continuer de lire un certain temps dans son fauteuil.

Lorsqu'il était enfin couché, il ne tardait pas à entendre un grincement, le sommier métallique du lit-pliant. Il n'entendait jamais les pas de Jeanne sur le plancher, savait néanmoins qu'elle se tenait immobile sur le pas de la porte, prête à battre en retraite s'il ne donnait pas le signal.

— Viens !

C'était leur secret. Tout au moins l'avait-il cru. Au cours de sa visite, le dernier dimanche, sa belle-sœur ne lui avait-elle pas dit :

— *C'est encore heureux que tu ne puisses pas avoir d'enfant... Pense que tu aurais pu rester avec des gosses sur les bras !...*

Etait-ce à cause de ça qu'il avait toujours épié les gens avec qui il entrait en contact, et même, parfois, ceux qu'il croisait dans la rue?

Quand il avait rencontré Jeanne, il était résigné. Il lui arrivait, le soir, de rester longtemps à la fenêtre, à observer ce qui se passait rue Sainte-Apolline. Il n'avait pas choisi son logement exprès. Il l'avait trouvé par hasard, alors qu'il ne savait pas encore. Tout au moins n'était-il pas sûr.

C'était le premier hôtel de ce genre dans lequel il était entré, à Paris, avec une femme, une blonde vêtue de rose, et un quart d'heure plus tard il était sorti, la tête basse, en se jurant de ne jamais plus tenter l'expérience.

Soir après soir, il voyait les chambres s'éclairer. Les rideaux, à la fenêtre de gauche, au premier étage, ne fermaient pas hermétiquement et son regard plongeait sur le lit.

Jeanne devait le remarquer, plus tard, deux ou trois mois seulement après leur mariage, car elle regardait rarement de ce côté et il fallait encore que la chambre fût occupée. Elle s'était retournée vers lui, fronçant les sourcils, comme si une idée la frappait, comme si elle découvrait enfin la clef d'un mystère qui la tracassait.

Est-ce que, déjà le premier soir, elle n'avait pas eu un soupçon du même genre?

Cela devenait plus précis. Il n'était plus, pour elle, un inconnu qui venait de la ramasser dans la rue. Elle le connaissait mieux que personne au monde.

Il y avait eu, cette fois-là, entre eux, un moment de gêne. Il aurait voulu lui parler, lui affirmer qu'elle se trompait, qu'il n'avait jamais passé de soirées à cette fenêtre, à attendre que la chambre d'en face s'éclaire.

C'était arrivé, certes, avant Jeanne, parce qu'il espérait toujours. A la fin, il s'élançait dehors. Il connaissait d'autres rues, dans d'autres quartiers, avec des hôtels tout pareils et des femmes qui piétinaient dans la pénombre.

Lui aussi, comme il le voyait faire devant chez lui, les dévisageait. Il ne se préoccupait pas de leur joliesse, ni de la forme de leur corps. Il épiait les yeux, la bouche, l'expression de physionomie. Il avait appris à reconnaître, d'un coup d'œil, celles qui se moquent et celles qui se fâchent, celles qui s'impatientent et celles dont la pitié maternelle le figeait.

Est-ce que c'était ça que Jeanne avait compris?

Etait-ce possible que quelqu'un d'autre que lui comprenne?

Même avant qu'il soit devenu veuf, les gens du quartier le regardaient comme quelqu'un de différent et il s'était souvent demandé s'ils devinaient. Toujours, il sentait une curiosité méfiante, comme si on cherchait à démêler ce qui clochait.

Jeanne était entrée dans sa vie par hasard. Il n'y avait, chez lui, aucune arrière-pensée quand il était allé la ramasser sur le trottoir et il s'était trouvé presque contraint de la ramener chez lui.

Il n'avait rien prémédité. Il y avait eu leur nuit et, après, il avait bâti son existence autour d'elle, elle devait le sentir. Elle était son bien le plus précieux. Il la voulait heureuse. C'était sa préoccupation majeure.

Pas par égoïsme, pour se sentir bon, ni par reconnaissance. Il avait besoin de savoir qu'un être au monde lui devait son bonheur.

Il se demandait aujourd'hui si elle s'en était rendu compte. Il n'en était pas sûr. Lui-même commençait à n'en être plus aussi certain.

Chaque jour, il travaillait, taillait ses crayons, nettoyait ses plumes et ses pinceaux, travaillait encore un peu, puis, dans son fauteuil, ou en mangeant en tête à tête avec lui-même, il pensait à Jeanne avec l'impression qu'elle devenait plus floue, moins importante, et qu'en fin de compte c'était Bernard Jeantet qu'il s'efforçait si passionnément de comprendre.

Peut-être était-ce moins avec elle qu'il avait

vécu pendant huit ans qu'avec lui? N'avait-elle été qu'une présence, un accessoire, qui sait, un témoin nécessaire?

— Mais un témoin de quoi?

Elle était allée mourir, un après-midi, dans une chambre d'hôtel dont il ignorait l'existence, dans un quartier différent du leur. Elle avait donné sa robe, ses chaussures du boulevard Saint-Denis, à une femme de chambre. On n'avait pas retrouvé son sac, ni sa carte d'identité, rien qui vînt de lui, qui eût un rapport avec lui.

Cela, il l'avait compris tout de suite, rue de Berry, et les fleurs étaient révélatrices, exprimaient comme une volonté de dépaysement total. Il ne lui avait jamais offert de fleurs. Un jour qu'elle en avait rapporté du marché, il s'était montré de mauvaise humeur et, comme elle le questionnait, il avait fini par avouer que les fleurs l'irritaient.

C'était vrai. Il les associait à la campagne qu'il n'aimait pas, aux jardins de banlieue figés dans le soleil, comme le jardin de son frère Lucien, dont la seule vue lui inspirait une panique irraisonnée.

La mort de Jeanne était une fuite, et c'était lui qu'elle avait fui.

Il avait besoin de savoir pourquoi. C'était son droit. C'était indispensable, car le reste de sa vie en dépendait, et c'est pour cette raison qu'il tenait tant à la lettre.

Même si elle n'avait écrit que quelques lignes, il saurait comment elle l'avait vu, comment il était aux yeux des autres, de quelqu'un qui avait passé huit années à le regarder vivre.

A *Art et Vie,* M. Radel-Prévost avait attendu deux mercredis pour lui dire avec un certain embarras :

— A propos, Jeantet, j'ai appris ce qui vous est arrivé et je vous présente mes condoléances.

On sentait qu'il se demandait s'il avait raison de le faire, qu'il attendait sa réaction.

— Je vous remercie. J'en suis touché.

— Vous ne vous sentez pas trop dérouté? Vous commencez à reprendre le dessus?

Puis, distrait, son regard tombant sur le portrait de sa fille :

— J'allais vous demander comment vous vous arrangez pour les enfants, mais je me souviens tout à coup que vous n'en avez pas... Quand prendrez-vous vos vacances, cette année?

— Je ne compte pas quitter Paris.

— Vous avez peut-être raison, car on trouve la foule partout... Ma femme et mes enfants sont à Evian, où je vais les rejoindre vendredi pour trois semaines...

Il vit ainsi Paris se vider de plus en plus, des trous dans le personnel des maisons pour lesquelles il travaillait. Certains bureaux fermèrent complètement. Puis il assista au mouvement contraire, au retour des employés d'abord, en commençant par les plus modestes pour finir par les patrons, qui continuaient à passer de longs week-ends à la mer ou dans leur maison de campagne.

Un mercredi, en quittant la rue François-Ier,

il alla rôder rue de Berry, sans intention précise. Il avait toujours su qu'il y retournerait. Il resta longtemps immobile sur le trottoir, en face de l'*Hôtel Gardénia,* où il vit entrer un couple. La femme riait. L'homme, content de lui, ressemblait un peu à M. Radel-Prévost.

Il n'aperçut pas la domestique italienne. Il essaya de calculer l'heure à laquelle elle quittait son service.

Il comptait revenir.

Il réfléchit beaucoup, ce jour-là, en marchant dans les rues. Et, quand il se coucha, pourtant fatigué, il resta près de deux heures les yeux ouverts.

Il n'y avait plus personne, sur le pas de la porte, à guetter son signal...

CHAPITRE

2

UN APRES-MIDI, VERS deux heures, des allées et venues, au-dessus de sa tête, l'avaient étonné. Ce n'était pas le gamin qui jouait. Les pas étaient ceux d'une grande personne, avec des piétinements sur place, comme quand, de plus en plus rarement, Mlle Couvert faisait un essayage à une cliente. Depuis que sa vue avait tant baissé, on lui confiait peu de neuf et elle ne travaillait guère qu'à des retournages et à des raccommodages.

Plus tard, il avait reconnu la démarche hésitante de la vieille demoiselle dans l'escalier et, un quart d'heure après, peut-être, comme il regardait par la fenêtre, il l'avait vue, de l'autre côté du Boulevard, qui attendait l'autobus.

Elle s'était mise en grande tenue, avec des gants, un chapeau, des chaussures qu'elle ne portait presque jamais et qui faisaient déborder ses chevilles.

Pourquoi cette sortie de la couturière l'avait-elle préoccupé? Elle pouvait avoir de la famille à visiter, une amie malade, une petite rente à toucher. Ils avaient beau habiter depuis longtemps le même immeuble, il ne savait pratiquement rien d'elle.

Depuis la mort de Jeanne, Pierrot l'évitait. Il n'était pas venu le voir une seule fois et, quand ils se rencontraient dans l'escalier, l'enfant se mettait à courir comme s'il était soudain pressé.

Il ne vit pas la vieille rentrer. Le soir, il sut qu'elle était chez elle en entendant le glissement caractéristique de ses pantoufles de feutre.

Une fois qu'elle écoutait ce bruit-là, aussi léger qu'un battement d'ailes, Jeanne avait dit en souriant :

— Notre bon fantôme qui se met au lit !

Il soupçonnait, entre elle, Mlle Couvert et le garçon, une intimité qu'on ne l'avait pas invité à partager et, quand Jeanne revenait du troisième étage, où elle passait de longs moments, elle ne lui disait jamais de quoi on avait parlé.

Dans les conversations à bâtons rompus, entre elle et Pierre, aussi, il surprenait des allusions à des sujets qui lui restaient étrangers. Il ne s'était pas inquiété, à l'époque. Il ne connaissait pas les enfants. Ils l'effrayaient un peu, moins que les animaux, mais de la même façon, peut-être pour les mêmes raisons, et il avait tendance à les tenir à l'écart.

Le lendemain de cette sortie de Mlle Couvert, il se produisit un événement plus caractéristique.

Un peu avant quatre heures, la porte s'ouvrit, au troisième, et quelqu'un s'engagea dans l'escalier. On ne pouvait pas confondre le pas de la vieille demoiselle avec celui d'un autre locataire. Depuis qu'elle avait de mauvais yeux, elle ne descendait que deux marches, d'une haleine hésitante, une main cramponnée à la rampe, l'autre tâtant le mur.

L'escalier était raide, avec des tournants où les marches, d'un côté, finissaient en pointe. Une autre vieille, qui habitait jadis le cinquième, avec un mari aussi âgé qu'elle, s'y était cassé la hanche. Elle n'en était pas morte, mais elle avait passé plus d'un an dans le plâtre et on ne l'avait jamais revue, car l'administration l'avait ensuite envoyée dans un hospice.

Il entendait Mlle Couvert descendre ses deux marches, s'arrêter, descendre encore. Puis, alors qu'elle avait atteint le palier, devant sa porte, il n'entendait plus rien.

Cela lui parut durer une éternité. Elle n'allait pas plus bas. Elle ne frappait pas non plus. Il s'impatientait, intrigué, se demandant si elle avait été prise d'un malaise quand il l'avait entendu repartir, cette fois vers l'étage supérieur.

Il marcha jusqu'à la porte, l'ouvrit, aperçut un pan de jupe sombre au tournant.

On était jeudi. Il dut attendre le vendredi, à peu près à la même heure, pour avoir l'explication de l'énigme. Il se trouvait dans son fauteuil, cette fois, quand il l'entendit descendre et, comme la veille, s'arrêter devant chez lui. Après une station plus ou moins prolongée dans l'obscurité, allait-elle encore remonter?

Le silence dura une demi-minute et, enfin, il y eut des coups frappés à la porte.

Il ouvrit tout de suite, fut frappé par la gravité de la vieille fille. Son visage toujours pâle avait l'expression des gens qui se sont préparés à une démarche importante et sa tenue même était un compromis entre celle qu'elle portait deux jours plus tôt pour aller en ville et celle, plus négligée, qu'il était habitué à lui voir dans la maison.

— Je ne vous dérange pas?

Méfiante, aurait-on dit, elle s'assurait, d'un regard circulaire, qu'il était seul.

— Pas du tout ! Entrez, je vous en prie.

Il lui désignait son fauteuil encore chaud et elle hochait la tête.

— C'est trop bas pour moi. Je préfère une chaise.

Elle examinait les murs blancs, les dessins, les pinceaux qui trempaient dans des verres, puis, subrepticement, lançait un coup d'œil, par la porte entrouverte, dans la salle à manger qui avait été si longtemps le domaine de Jeanne. Elle devait le savoir, connaître, par ouï-dire, tous les détails du logement, sans doute aussi les détails de leur vie. Peut-être était-elle déjà venue en son absence?

Elle ne se décidait pas à parler, croisait les mains sur son ventre, ce qui semblait indiquer qu'elle en avait pour un long moment. Un mécanisme se mettait en marche, lentement, finissait par se déclencher, et elle remuait ses lèvres incolores.

— Ce n'est pas de gaieté de cœur que je suis venue, je vous prie de le croire...

Elle avait choisi de fixer la fenêtre. Elle marquait un temps, comme si elle espérait encore qu'il allait l'aider par des questions.

— Vous ne vous doutez pas de la raison de ma visite?

— Non.

— Ainsi, elle avait raison.

— Vous parlez de Jeanne?

Il ne sentait chez elle aucune sympathie à son égard, au contraire. On aurait même dit qu'elle était choquée de l'entendre parler familièrement de la morte.

— Si ce n'était pas qu'à cause de mes yeux j'ai de moins en moins de clientes et que c'est bientôt la rentrée des classes...

Il croyait comprendre que c'était une question d'argent, tout en restant à cent lieues de la vérité. Pourtant il lui était arrivé, du vivant de Jeanne, de se poser certaines questions, dans le vague, comme il pensait à tant de choses.

— Il a encore grandi cet été et je suis obligée de le rhabiller des pieds à la tête...

Il avait devant lui une statue, un monolithe. Elle ne faisait pas un mouvement. Sa peau frémissait à peine. Seules les lèvres remuaient de temps en temps, après de longs silences pendant lesquels les prunelles restaient fixes.

— A présent qu'elle n'est plus là pour faire le nécessaire...

Il crut deviner.

— Vous voulez dire que Jeanne vous aidait?

Il n'en était pas surpris. Il y avait cependant un point noir : il se demandait où Jeanne prenait l'argent.

— Dame! C'était naturel qu'elle me paie la pension...

Elle le fixait d'un œil dur qui le défiait.

— J'aurais préféré continuer à l'élever seule, je vous prie de le croire, et ce n'est pas pour mon plaisir que je suis venue vous en parler...

— Pierre est?...

— N'importe quelle femme aurait compris tout de suite. Si vous n'aviez pas été si préoccupé de vous-même, comme tous les hommes, vous auriez compris aussi... Ce n'est pas à vous, mais à M. Jacques, que je voulais m'adresser... Je suis allée à la police, là-bas, rue de Berry, où ils se sont occupés d'elle, et j'ai essayé d'obtenir son nom et son adresse... Ils ont refusé de me les donner...

Voilà pourquoi, l'avant-veille, elle avait mis sa meilleure robe et attendu l'autobus au coin du Boulevard.

— Je me suis même adressée à l'*Hôtel Gardénia*. Ils ont été très polis, mais ils m'ont répondu que c'est contre la règle de révéler l'adresse des clients. Si, seulement, avant de s'en aller, elle m'avait dit ce qu'elle voulait que je fasse!...

Pierrot avait un peu moins de dix ans. Il était donc âgé d'un an et demi quand Jeanne avait pénétré dans la vie de Jeantet. Elle ne lui avait jamais parlé de l'enfant. Elle avait attendu qu'il ait six ans, l'âge d'aller à l'école, pour le faire venir chez la vieille demoiselle, dans la maison même.

— Je me demande pourquoi elle ne m'a rien dit... murmurait-il.

Presque haineuse, elle répliquait :

— Parce qu'elle vous considérait comme une sorte de Bon Dieu et qu'elle vivait dans la terreur de vous décevoir ou de vous faire de la peine ! A ses yeux, vous n'étiez pas un homme comme les autres et vous le saviez bien, vous faisiez tout ce qu'il fallait pour qu'elle continue à vous voir ainsi. Vous l'auriez pris chez vous, l'enfant ?

Il ne savait que répondre. Il se demandait s'il aurait accepté volontiers la présence d'une troisième personne dans son logement, avec les complications que cela comportait. Il aurait été incapable, par exemple, de mener l'existence de son frère Lucien. Il est vrai que le cas était différent.

Honnêtement, il ne savait pas.

— D'une certaine façon, elle vous connaissait bien, allez ! D'ailleurs, elle n'avait pas envie que l'enfant sache qu'elle était sa mère. Elles ont toutes la même idée. Elles inventent des histoires, quitte à se mettre dans un mauvais cas...

— Il l'ignore encore ?

— Je lui ai appris la vérité la semaine dernière.

— Pourquoi?

— Parce que j'ai compris qu'il la soupçonnait et que je n'ai pas voulu que ça le travaille.

— Que lui avez-vous dit d'autre?

— Tout.

Elle le bravait plus que jamais, en femme consciente d'accomplir son devoir.

— Si vous vous figurez que les enfants n'en savent pas plus long qu'on le pense, surtout dans un quartier comme celui-ci! Je lui ai expliqué qu'il était né avant qu'elle vous rencontre, qu'elle n'a jamais osé vous en parler...

— Où est-il né?

— A la Maternité, boulevard de Port-Royal.

L'établissement dans lequel sa sœur Blanche travaillait! Blanche avait peut-être eu Jeanne dans sa salle, lui avait donné des soins, qui sait, avait montré à la mère le bébé qui venait de naître?

Il n'osait pas poser toutes les questions qui lui venaient à l'esprit et regrettait d'avoir à obtenir les réponses de cette vieille femme hostile.

— Elle vivait seule, à cette époque?

— Vous voilà bien curieux, tout à coup, quand il est trop tard! Peut-être que, si vous vous en étiez préoccupé plus tôt, rien ne serait arrivé...

— Que voulez-vous dire?

— Vous vous imaginez que c'est humain de prendre une femme et de décider, du jour au lendemain, qu'elle n'a pas de passé?

Le visage de Jeantet s'empourprait, comme au commissariat du quartier, le premier soir, quand il lui semblait que Gordes et lui parlaient des langues différentes.

On venait chez lui pour l'accuser du malheur de Jeanne, d'être la cause de sa mort, alors que, pendant des années, s'il s'était tu, cela n'avait été que pour elle.

En était-il vraiment sûr? La vieille, avec son regard calme et terrible, le faisait douter de tout.

— Elle vivait avec un homme, bien sûr, et elle gagnait sa vie, dans le quartier de la gare Montparnasse, comme elle a ensuite essayé de la gagner ici...

Elle jetait un bref coup d'œil à la façade de l'hôtel meublé.

— Elle avait mis l'enfant en nourrice, pas loin, du côté de Versailles. Cela coûtait cher, car ces gens-là en profitent. L'homme insistait pour qu'elle l'abandonne à l'Assistance Publique. Elle s'est dit que, si elle était seule, elle pourrait garder tout ce qu'elle gagnait et avoir ainsi de quoi payer pour son fils.

« Elle est partie, un soir, se figurant que, du moment qu'elle changeait de quartier, il ne la retrouverait pas. Elle lui avait même laissé une lettre pour lui annoncer qu'elle retournait en province, que c'était inutile de la chercher, qu'elle ne reprendrait jamais la vie avec lui...

— C'est elle qui vous a raconté tout ça?

— Qui serait-ce? Vous croyez qu'elle ne savait pas ce qu'elle avait fait, ou que ce sont des choses qu'on oublie?

Jeanne lui aurait-elle parlé aussi s'il lui avait posé des questions ou s'il l'avait placée dans une ambiance propice aux confidences?

Elle avait cru qu'il refusait de savoir, qu'il voulait la prendre sans son passé.

— Il n'a mis que trois jours à la retrouver et c'est alors qu'il l'a punie en la marquant...

Ainsi, celle qu'il avait recueillie chez lui, était une Jeanne différente de celle qu'il avait imaginée. Lui aussi, avec elle, avait parlé un autre langage, rendant leur dialogue inutile.

— Quand vous a-t-elle fait ses confidences?

— Quand elle a décidé d'avoir son fils près d'elle.

— Avant, elle ne le voyait pas?

— Une fois par semaine, le mercredi, bien entendu. Elle était obligée de prendre un taxi, qui lui coûtait très cher, et de se dépêcher.

Les après-midi du mercredi, qu'il consacrait à ce qu'il appelait sa tournée... La rue François-Ier, puis le faubourg Saint-Honoré et M. Nicollet au fond du couloir, avec ses pilules contre les maux d'estomac, enfin le marbre de l'*Imprimerie de la Bourse* et les hommes en blouse grise qui l'entouraient de leur activité... Ce jour-là, pour Jeanne, avait un sens différent... Elle devait trouver le temps de s'habiller, d'aller là-bas, nerveuse dans son taxi, d'en revenir, de reprendre, dans le logement, une attitude familière...

Si la vie de Jeantet, l'emploi de son temps, ses démarches n'avaient pas été réglés aussi minutieusement, comme par un maniaque qu'il était presque, tout cela n'aurait pas été possible, il lui serait arrivé au moins une fois de rentrer avant l'heure, de ne pas la trouver à la maison, ni dans les boutiques du quartier où il l'aurait probablement cherchée.

Il n'y croyait pas encore tout à fait, émettait des objections.

— Mais l'argent?

— Parlons-en, de l'argent! Votre pingrerie lui a assez compliqué l'existence!...

L'accusation était fausse. Il n'était pas pingre, ni avare. La preuve, c'est qu'il aurait gagné beaucoup mieux sa vie en acceptant des travaux qui ne lui plaisaient pas. A *Art et Vie,* on lui avait proposé un poste au mois, qui l'aurait délivré de tout souci. Il aurait pu remplir un emploi bien rétribué à l'*Imprimerie de la Bourse* aussi, et chez deux éditeurs au moins.

Il avait préféré sa liberté, la solitude de son atelier, cette vie un peu nonchalante qu'il menait, en contact permanent avec Jeanne, dans le petit monde clos de leur logement.

Or, ce monde-là n'avait existé que dans son imagination et, maintenant, on venait lui parler d'argent, lui reprocher sa ladrerie.

— Je lui en donnais...

— Vous lui donniez, chaque matin, l'argent qu'elle vous demandait pour les courses...

— Eh bien?

C'était par discrétion, justement, qu'il mettait dans un tiroir les sommes qu'il rapportait le mercredi soir. Le tiroir n'était pas fermé à clef. Elle aurait pu y prendre elle-même ce dont elle avait besoin.

Quand, au début, il lui avait acheté de quoi s'habiller, elle s'en était montrée attristée, confuse.

— J'ai toujours l'air de te demander quelque chose. Je te complique la vie...

Elle lui rapportait la monnaie, mettait son point d'honneur à lui rendre des comptes.

— Ce matin, j'ai payé la note du boulanger et, chez le boucher, j'en ai eu pour quatre cent cinquante-trois francs...

Ce n'était pas lui qui avait imposé ce régime-là. Il n'avait fait que l'accepter, par délicatesse. Elle craignait de paraître intéressée, il croyait comprendre pourquoi. Elle n'achetait, pour elle, que le moins cher et, si elle n'était pas coquette, c'était volontairement.

Il lui avait dit :

— Je t'aime comme tu es, dans ta robe noire, avec ta mèche sur la joue, tes lèvres un peu pâles...

Ce n'était pas parce que le maquillage lui aurait rappelé le passé. Ils s'étaient trompés l'un sur l'autre, de bonne foi.

Aujourd'hui, une vieille fille qui n'avait jamais aimé s'érigeait en juge, prenait la défense de Jeanne et, comme en son nom, l'accusait, lui, d'une sorte de perversité.

— Elle était obligée de tricher... Quelques francs par-ci... Quelques francs chez l'épicier... Puis, quand on a dû opérer Pierre de l'appendicite et le conduire à l'hôpital...

Il n'en avait jamais entendu parler, regardait la vieille avec angoisse, se demandant ce qui allait encore sortir de sa bouche pâle et cruelle.

— C'était avant que je le prenne en pension... Il était encore à la campagne... Elle ne voulait pas qu'on le mette dans une salle gratuite... J'ai oublié combien ça a coûté, mais c'était beaucoup d'arglnt...

Ils avaient vécu tout ce temps-là à quelques mètres l'un de l'autre, passant rarement une heure sans se regarder, sans s'adresser la parole, et pourtant elle avait roulé toutes ces pensées dans sa tête, résolu des problèmes qu'il ne soupçonnait pas.

— Comment s'y est-elle prise?

— Vous ne le devinez pas? Je venais de rétrécir la robe d'une cliente qui avait maigri, une robe en soie à fleurs bleues, je m'en souviens. En ce temps-là, j'avais encore mes yeux. Elle l'a essayée. La robe lui allait comme si elle avait été faite pour elle. Elle m'a demandé de la lui prêter un après-midi. Elle est allée rue Caumartin...

Un mercredi!

— Il paraît qu'il y a là un petit bar élégant, à côté d'un hôtel meublé. En deux heures, elle a gagné assez pour payer l'hôpital.

— Elle y est retournée?

— Quelle différence cela fait-il qu'elle y soit allée une fois ou dix, ou cent? Et même quelle différence cela fait-il qu'elle y soit allée? Est-ce que vous ne saviez pas, quand vous lui avez demandé de rester avec vous? Est-ce qu'elle vous a menti?

Elle parlait comme l'inspecteur Gordes. Elle aussi aurait pu dire :

— Une sur mille... *Et encore!*

— Voilà! Vous êtes au courant. Sans le gamin, qui n'en peut rien, je ne serais pas descendue et je vous aurais laissé avec vos idées commodes...

... *idées commodes...*

Honnêtement, une fois de plus, il se demanda s'il méritait tant de sévérité.

— Dites-moi encore...

— Quoi?

— Tout.

— Vous n'en savez pas assez?

— J'ai besoin de comprendre.

— Il n'y a rien de difficile à comprendre. Elle a été obligée de faire de temps en temps ce qu'auparavant elle faisait tous les jours. Elle ne vous prenait rien. Mais, comme les hommes ont leurs idées, elle avait le courage de garder ça pour elle, de tricher, de se cacher, de vous laisser à votre béatitude...

Béatitude!...

Il avait pris la couturière pour une vieille fille bornée, un peu éteinte; il n'était pas loin de croire, tout à coup, qu'elle savait, sur lui-même, des choses qu'il n'avait jamais soupçonnées. Méchante, elle mettait un malin plaisir à les déformer.

— Si j'avais eu le choix, j'aurais préféré faire comme elle et parler à M. Jacques qu'à vous...

Il dut avaler sa salive avant de questionner :

— Il était au courant?

— De quoi?

— L'enfant...

— Depuis un an, c'est lui qui payait la pension.

— Où l'a-t-il recontrée?

Il finissait par avoir peur que cet homme soit venu dans son propre logement.

— Rue Caumartin, tiens!

— Il y a longtemps?

— Un peu plus d'un an, je vous l'ai déjà dit...

— Elle n'y est pas retournée ensuite?

— Où?

— Rue Caumartin...

— Pourquoi y serait-elle retournée, puisqu'il se chargeait de tout? Il a assez insisté pour qu'elle vous quitte! Il lui a loué une chambre au mois, acheté des robes, du linge qu'elle avait à peine l'occasion de porter...

Toujours le mercredi après-midi! Il passait tout près de la rue de Berry, quand il allait de la rue François-Ier au faubourg Saint-Honoré.

— Vous savez quel genre d'homme c'est?

— C'est un monsieur bien, dans les affaires. Il

conduit une grosse voiture jaune et habite du côté du bois de Boulogne.

— Il est marié?

— Bien sûr.

— Il a des enfants?

— Deux. C'est à cause des enfants qu'il ne pouvait pas divorcer. Comme c'est lui qui était dans son tort, le tribunal aurait donné la garde des enfants à sa femme, et il ne voulait pas s'en séparer...

— Jeanne aurait divorcé?

— Elle ne me l'a pas dit. Je ne le crois pas, mais je lui aurais donné raison de le faire.

Il n'était plus si sûr que c'était à lui que la lettre était destinée. N'était-ce pas parce que l'enveloppe portait un autre nom, une autre adresse, que les gens de la police lui avaient affirmé qu'il n'y avait pas de lettre dans la chambre? Il le saurait. Cela restait indispensable. Il était sorti du brouillard et il ne poserait plus ses questions de la même façon. Ils n'avaient pas pu le comprendre, c'était naturel, mais c'était un autre homme qu'ils auraient devant eux.

Pour le moment, s'il était encore atterré, il avait la certitude qu'il en sortirait, parviendrait à regarder la réalité en face. Il n'en voulait déjà plus à Mlle Couvert, qui n'avait pas décroisé les mains de tout l'entretien.

— Alors, pour le petit, quest-ce que vous décidez?

— Il sait que vous êtes venue me voir?

— Non. J'ai eu soin de l'envoyer au cinéma.

Hier aussi, car je suis descendue hier après-midi. Au dernier moment...

— Pourquoi ne lui en avez-vous pas parlé?

— Parce qu'il risquerait de ne pas accepter.

— Il ne m'aime pas?

— Avant, il était seulement jaloux...

— Il ne savait pas que Jeanne était sa mère, objecta-t-il.

— Et alors? Est-ce que ça empêche un enfant d'être jaloux? Depuis ce qui est arrivé, il vous déteste...

— Il se figure que c'est ma faute?

— C'est la faute de qui?

Il n'était pas d'humeur à se défendre. Il l'aurait fait maladroitement et il aurait risqué de s'enfoncer davantage.

— Vous me direz combien ma femme vous versait... Je vous donnerai la même somme chaque mois...

— Ça ne sera pas assez, maintenant qu'il a tant grandi et que tout est plus cher, les vêtements, les chemises, surtout les souliers...

— Je payerai le prix que vous demanderez.

Elle était décontenancée d'une victoire si facile, comme les parents de Jeanne, à la mairie, l'avaient été de la leur. Du coup, elle le regardait avec une nouvelle curiosité, qui n'allait pas sans méfiance.

Elle ne s'en excusait pas moins à sa façon.

— Ce n'est pas pour mon plaisir que je suis venue vous dire tout ça. Du moment que je vous demandais de l'argent, j'étais obligée de vous déballer la vérité...

— Vous avez bien fait.

— Vous lui en voulez?

— A qui?

— A elle, évidemment. Vous auriez tort. Si elle ne s'était pas tant tracassée pour vous...

Le plus grave, c'est qu'il sentait confusément qu'elle avait raison.

— Une femme ne peut pas vivre au bout d'une laisse...

Il revoyait Jeanne, tout à coup, plus nettement que les dernières semaines, dans la salle à manger, devant sa machine à coudre, dans la cuisine, ou encore, attendant un signe de lui, dans l'encadrement de la porte.

N'avait-elle pas vécu pendant huit ans dans le logement comme un animal familier qui va d'un coin à l'autre, attentif aux humeurs de son maître, guettant le moment d'une caresse ou d'une bonne parole?

— Je voudrais tant que tu sois heureux!

Le plus étrange, c'est qu'il disait, qu'il pensait la même chose. Cela ne l'agaçait-il pas, à la fin, de se voir observée d'un œil anxieux? Sachant la réponse, elle lui demandait :

— A quoi penses-tu?

— A toi.

— Qu'est-ce que tu penses?

— Je voudrais être sûr que tu es heureuse...

Elle feignait de rire, ou elle venait l'embrasser sur le front. Etait-ce déjà arrivé un mercredi soir? Vraisemblablement. Et, un peu avant, elle était allée rue Caumartin pour gagner la pension de son fils, plus tard, rue de Berry, retrouver celui qu'elle appelait M. Jacques quand elle en parlait à Mlle Couvert.

Car elle lui en parlait, à elle. Elle éprouvait le besoin d'en parler à quelqu'un. Pas à lui. A la vieille de l'étage au-dessus.

Elle parlait de Jeantet aussi, se contentait d'en dire :

— Il est si bon !

Ne se rendait-elle pas compte qu'il n'était pas bon, qu'il n'était qu'un homme?

Que serait-il arrivé si elle lui avait avoué la vérité? Il n'en avait pas la moindre idée. Il venait de trop en apprendre, d'un seul coup. Ce qu'il y avait de certain, c'est qu'un instinct, en lui, ne l'avait pas trompé. Combien de fois n'avait-il pas été en proie à un malaise, à une sensation d'irréalité, d'inconsistance?

Il s'enfermait entre des murs, enfermait Jeanne avec lui pour se convaincre qu'ils existaient tous les deux, qu'ils formaient un tout, que leur vie était de la vraie vie. Par surcroît de précautions, il s'acharnait à ce que les objets soient à leur place, comme s'ils avaient leur rôle à jouer aussi, à ce que les heures aient, chaque jour, le même contenu.

Ainsi, pensait-il naïvement, il ne pouvait y avoir de fuite.

Il avait bâti ainsi, en retenant son souffle, une existence imaginaire sur laquelle une vieille femme venait de souffler comme sur une bougie.

— Pour le mois qui vient de finir...

— Je vous demande pardon. C'est combien?

— Avec les vêtements que je dois lui acheter, les livres dont il aura besoin à la rentrée des classes...

Elle comptait à mi-voix, lançait un chiffre, en l'observant pour s'assurer qu'il ne trouvait pas qu'elle exagérait.

— Jeanne savait que je ne lui réclamais que le strict minimum...

Il ne discutait pas, ouvrait le tiroir, ce tiroir à l'argent qui prenait, depuis les accusations de la vieille, une physionomie nouvelle. Il comptait les billets.

— Merci pour le gamin. Si j'arrive à trouver l'adresse de M. Jacques, je ne viendrai plus vous déranger.

— C'est inutile de la chercher.

— Vous voulez dire que vous continuerez?

Il fit oui de la tête, l'accompagna jusqu'au palier, retirant au passage une chaise qu'elle était sur le point de heurter. Elle ne se retourna pas, commença à gravir les marches de son pas hésitant.

Il referma la porte et ce geste n'avait plus son sens d'autrefois. Pendant des années, cela avait été pour lui un geste symbolique, une sorte de rite, de conjuration. Il traversait la cour, où la lampe de la concierge était allumée derrière la vitre sale, s'engageait dans l'escalier toujours sombre, ouvrait la porte sans avoir besoin de sa clef, entendait, dans une des pièces, Jeanne se lever de sa chaise. Même si elle ne bougeait pas, il savait qu'elle était là, sentait sa présence et alors, de repousser le battant, c'était comme de dresser une barrière entre eux et tout ce qui est dangereux, hostile, menaçant.

Ils restaient seuls entre les murs, avec seulement les bruits anonymes qu'ils voulaient bien accueillir, une vue plongeante sur le toit des autobus et sur les passants agités qui ne pouvaient rien contre eux.

Ce qu'il pensait alors, ce qu'il ressentait au plus intime de lui-même, il ne l'avait jamais dit à Jeanne. Il ne l'avait jamais pensé de façon précise. Il ne lui était arrivé qu'une seule fois de soupirer, en s'asseyant dans son fauteuil et en allongeant les jambes :

— On est bien !...

Ses gestes n'étaient-ils pas assez éloquents, sa façon d'entrer dans l'atelier, d'accrocher son chapeau, de regarder les deux tables à dessin, les lettres à l'encre de Chine sur les murs, Jeanne qui interrompait sa couture ou sa cuisine?

Quand il était petit, à Roubaix, il y avait un employé de banque qui sortait de chez lui et rentrait toujours aux mêmes heures, à la minute près. On le voyait passer sur le trottoir d'en face et, à une vingtaine de mètres de son seuil, il prenait déjà sa clef dans sa poche, au bout d'une chaîne brillante.

Il faisait de grands pas, lui aussi, presque aussi lents que ceux de Jeantet, qui donnaient à sa démarche une allure solennelle. Il tenait la tête droite, gardait un visage impassible, d'une sérénité inaltérable, et plus d'une fois, le gamin avait entendu dire par sa mère :

— On dirait qu'il porte le Saint-Sacrement...

Peut-être Jeanne trouvait-elle aussi qu'il avait l'air de porter le Saint-Sacrement? Mlle Couvert n'avait-elle pas dit, tout à l'heure, avec une impatience teintée d'aigreur, que sa femme le considérait comme une sorte de Bon Dieu?

Le Bon Dieu était écroulé dans son fauteuil. Au fait, l'employé de banque, lui, un soir qu'il rentrait du bureau et qu'il avait déjà sa clef à la main, était tombé tout d'une pièce sur le trottoir, à moins de dix mètres de sa porte.

On entendait des pas précipités dans l'escalier, un claquement à l'étage au-dessus. Pierre était revenu du cinéma et son premier soin devait être de regarder sur le feu ce qu'il y avait à dîner.

Jeantet, qui fixait sur le mur une lettre de son alphabet inachevé, de l'alphabet Jeantet, auquel il travaillait depuis des années, ferma soudain les yeux, parce que ses paupières picotaient.

Il était sans colère, sans rancœur, peut-être même sans amertume. Ses doigts s'ouvraient doucement, se refermaient sur le vide, s'ouvraient encore et se mettaient à caresser, hésitants et tendres, le cuir de son vieux fauteuil.

CHAPITRE

3

IL N'ETAIT PAS VENU, cette fois, comme un quémandeur ordinaire et il n'accorda qu'un coup d'œil distrait à ceux qui attendaient sur le banc, le dos au mur couvert d'affiches administratives. Il s'adressa, par-dessus le comptoir, au brigadier de service écoutant les doléances d'une femme de mise modeste qui racontait, les larmes aux yeux, comment un voyou — un enfant, monsieur l'Officier ! je suis sûre qu'il n'avait pas plus de quatorze ans ! — lui avait arraché son sac à main sur les Grands Boulevards.

— J'ai rendez-vous avec l'inspecteur Gordes, dit-il, interrompant ce monologue.

— Il vous attend. Vous pouvez monter. Vous connaissez le chemin ?

Il avait pris la précaution de téléphoner à Gordes, qui n'avait pas paru surpris. Dans la première pièce, où deux hommes tapaient à la machine et où un Algérien attendait sur une chaise, on lui désigna la porte de l'inspecteur, dont il se souvenait fort bien.

— Frappez. N'ayez pas peur de frapper fort, car sa fenêtre doit être ouverte.

Gordes avait retiré son veston et il y avait un demi entamé sur son bureau.

— Entrez, Jeantet. J'ai toujours pensé que nous nous reverrions.

Il ne se cachait pas de l'examiner avec une curiosité visible, pas plus qu'il ne cachait sa surprise devant le changement qui s'était opéré dans son attitude.

Jeantet prenait ça pour un hommage, car il avait lui-même l'impression qu'il venait enfin de sortir de l'enfance. Il restait encore timide. C'était de la gaucherie, plus exactement, un manque d'habitude, et son regard hésitait à se fixer sur les gens.

Le seul fait qu'il eût téléphoné n'en était pas moins significatif et, comme on ne lui posait pas de questions, il alla droit au but.

— Je suis venu vous demander un service, un renseignement dont j'ai besoin et qu'il vous est facile, à vous, de vous procurer, alors que cela m'est à peu près impossible.

Il y avait de l'ironie, pas méchante, d'ailleurs, ni agressive, dans les yeux du policier.

— Il s'agit d'un nom, d'une adresse. Vous voyez ce que je veux dire?

Cette fois, Gordes fronça les sourcils en tassant le tabac dans sa pipe d'un index bruni.

Jeantet continuait sur sa lancée.

— Je sais que le prénom est Jacques. Au commissariat du Roule, ils ne me diront rien, et l'hôtel n'a pas le droit de donner l'adresse de ses clients.

— Vous y êtes allé?

— Pas moi. Quelqu'un d'autre.

— Pour votre compte?

— Non.

— Si vous me racontiez...

— Une vieille fille, qui habite l'étage au-dessus du mien et chez qui ma femme avait mis son fils en pension...

Gordes se grattait le nez.

— Car elle avait un fils?

— Je ne l'ai appris qu'il y a trois jours.

— D'avant vous?

— Oui. Il a dix ans. Quand j'ai rencontré sa mère, il était en nourrice. Vous ne le saviez pas?

— Je n'ai pas poussé l'enquête si loin. C'était un fait divers banal. Aucune plainte n'était déposée. Ce que je ne comprends pas, c'est pourquoi vous voulez ce nom et cette adresse. Je ne vois surtout pas le rapport avec l'enfant.

— Il n'y a pas de rapport.

— Alors?

— J'ai besoin de voir cet homme.

— Il connaît l'existence du gamin?

— Il ne l'a jamais vu. Depuis un an, c'est lui qui paie la pension.

Gordes mâchonnait le tuyau de sa pipe avec,

dans les yeux, une certaine satisfaction, mais toujours beaucoup de curiosité.

— Comment avez-vous découvert tout ça? C'est la vieille qui vous a ouvert les yeux?

— Oui. Elle n'a pas trouvé l'adresse, elle non plus, et elle avait besoin d'argent.

— Alors, elle est venue vous en demander, hein? Elle vous a déballé le paquet! Quand, moi, je vous en disais le dixième, le centième, vous refusiez de me croire.

— Je m'en excuse.

— Qu'est-ce que vous voulez à ce monsieur?

— Le voir, lui parler.

— De quoi?

— Je pense que c'est à lui que la lettre était destinée.

— Vous croyez toujours à cette lettre fantôme?

— Je sais que vos collègues continueront à nier, mais je reste persuadé que Jeanne a écrit.

— Vous tenez à savoir ce qu'elle a écrit à un autre homme?

Peut-être commençait-il à trouver que Jeantet avait moins évolué qu'il l'avait pensé tout d'abord? Il le regardait toujours avec curiosité, mais c'était plutôt la curiosité professionnelle de quelqu'un qui ajoute un phénomène à sa collection.

— Pourquoi est-ce moi que vous êtes venu voir?

Jeantet n'osa pas dire la vérité. Il avait pensé que l'inspecteur lui rendrait ce service par fatuité, afin de lui montrer que tout lui était facile, que son pouvoir était plus étendu qu'on ne l'imaginait, et aussi par curiosité, pour connaître la fin de l'histoire.

— La première fois que vous êtes venu me voir, vous ne m'avez pas cru et vous me regardiez comme une brute profanant une chose sacrée.

— Vous le ferez quand même?

— Vous êtes armé?

— Je n'ai jamais possédé de revolver de ma vie et je ne saurais pas comment m'en servir.

— Vous me jurez que vous ne ferez pas de bêtise?

— Je le jure.

— Dans ce cas, repassez me voir demain à la même heure.

A la porte, il posa une dernière question.

— Vous avez donné de l'argent à la vieille?

— Oui.

— A demain.

Jeantet était persuadé qu'il ne marchait plus de la même façon, qu'il osait maintenant regarder les passants en face et que son grand corps avait plus de consistance, plus de poids. La crémière elle-même n'était-elle pas consciente de la métamorphose et ne le suivait-elle pas d'un œil étonné quand il sortait de sa boutique?

Il fut au rendez-vous du lendemain. Cette fois encore, on le fit monter tout de suite, mais il dut attendre un quart d'heure dans la première pièce, parce que Gordes interrogeait une voleuse à l'étalage. Il la vit quand elle sortit. Elle ressemblait un peu à sa femme de ménage, Mme Blanpain, et elle était si massive qu'il la prit un instant pour un homme travesti.

— Entrez, Jeantet... Je suis à vous...

Il s'assit sur la chaise encore tiède, alluma une cigarette, ce qui était un signe, car il ne se le serait pas permis une semaine plus tôt. La fenêtre était ouverte sur une cour où on voyait deux cars de Police-Secours, dont un, avec six hommes armés de mousquetons, prêt à partir. Il devait y avoir du grabuge quelque part, ou peut-être une réunion politique?

— Vous vous souvenez de ce que vous m'avez promis?

Il fit oui de la tête.

Gordes avait un petit papier à la main, jouait avec.

— Ne prenez pas mal ma question. Cet homme est marié et occupe une situation en vue. Je suppose qu'il n'entre pas dans vos intentions de faire un esclandre?

— Je compte lui demander un rendez-vous et je le rencontrerai où il le désirera, ici si vous l'exigez.

— Il n'en est pas question. Il habite Neuilly, peu vous importe l'adresse, car ce n'est pas chez lui que vous devez écrire ou téléphoner. J'ignore si sa femme est jalouse et le surveille. On ne prend jamais assez de précautions.

Jeantet approuvait de la tête.

— Son nom est Beaudoin, Jacques Beaudoin, et il est originaire du Nord, de Lille, si je ne me trompe.

— Moi, je suis de Roubaix.

— Je sais. Vous êtes tous les deux des *Chtimis.* Il dirige une grosse affaire d'appareillage électronique, la SANEC, qui travaille pour la Défense Nationale, de sorte qu'il est introduit dans les ministères. Il a des ateliers dans plusieurs régions de France, voyage beaucoup à l'étranger, surtout aux Etats-Unis, et est rentré de Boston, il y a une semaine.

— Il y était lorsque?...

— Oui. Il n'en est pas moins au courant de tout. Mon collègue Massombre est allé le voir à son bureau.

— Ils ont parlé de moi?

— Massombre ne m'a rien dit.

— Vous ne savez toujours rien au sujet de la lettre?

— On me jure qu'il n'y a pas de lettre. Vous continuez à ne pas le croire?

— Oui.

— C'est votre affaire. Si vous en avez l'occasion, passez me voir, après. A moins que vous préfériez que je monte chez vous un de ces jours.

— Vous serez le bienvenu.

N'était-ce pas déjà plus solide, plus réel? Ses doigts ne tremblaient pas quand, dans son logement, il décrocha le téléphone et composa un numéro. Le siège de la SANEC se trouvait rue Marbeuf, à deux pas de la rue François-Ier, à deux pas aussi de la rue de Berry.

— Ici, la SANEC. Qui demandez-vous?

— M. Jacques Beaudoin, s'il vous plaît.

— De la part de qui?

— Bernard Jeantet.

— M. Beaudoin est en conférence et ne peut être dérangé avant onze heures.

Il en était dix. Il n'essaya pas de travailler pour tuer le temps. Il alla se camper devant la fenêtre, puis il s'assit dans son fauteuil, écouta un certain temps les pas de Pierrot qui devait avoir inventé un nouveau jeu et qui allait et venait au-dessus de sa tête en traînant un objet lourd.

A onze heures précises, il composa à nouveau le numéro de la rue Marbeuf, entendit la même voix jeune et bien modulée.

— Ici, Bernard Jeantet...

— Un instant, je vous prie... Je vais voir si la conférence est terminée...

Ce fut long. Il crut que la communication avait été coupée et il était sur le point de raccrocher quand une autre voix de femme dit enfin :

— Ici, le bureau de M. Jacques Beaudoin. Qui le demande?

Il répéta, avec un sourire un peu moqueur :

— Bernard Jeantet.

Essayait-on de l'impressionner en donnant tant d'importance à son correspondant? Il n'était, lui, que le mari de Jeanne, le veuf, à présent, un personnage falot qu'on n'avait jamais vu.

— Je vous passe M. Beaudoin.

Quelqu'un toussait, à l'autre bout du fil.

— Allô! Qui est à l'appareil?

Il le répéta pour la troisième fois au moins,

sachant que l'autre savait parfaitement à qui il avait affaire :

— Bernard Jeantet...

— Oui... Je vous écoute...

— Je désirerais vous rencontrer. Je vous téléphone pour vous demander où et quand ce serait possible.

Pendant le silence qui suivit, il entendait distinctement une respiration assez forte.

— Je suppose que vous ne pouvez pas me faire le message par téléphone ?

— Ce n'est pas un message.

— Je suis très pris...

— Je sais. Je n'en aurai pas pour longtemps...

— Ecoutez... A mon bureau, c'est difficile... Un instant... Je réfléchis... Vous connaissez le bar du *Plaza* ?

— De l'*Hôtel Plaza*, avenue Montaigne ?

— C'est ça... Le bar est au sous-sol... Vers trois heures ou trois heures et demie, il n'y a personne... Voulez-vous cet après-midi, à trois heures ?... Donnez-moi une minute pour consulter mon agenda...

Il n'était pas seul dans son bureau et Jeantet l'entendit parler, sans doute à sa secrétaire. Il lui disait, sans penser à mettre la main sur l'appareil :

— De toute façon, ce ne sera pas long... Je n'ai pas envie de me laisser faire... Téléphonez aux frères Morton pour remettre leur rendez-vous à quatre heures... Quatre heures et demie, pour plus de précaution... Allô ! monsieur Jeantet ?...

Entendu pour cet après-midi, trois heures, au bar du *Plaza*... Vous n'aurez qu'à me demander au barman...

Il avait la sensation d'avoir fait plus de chemin en deux jours que depuis des semaines que Jeanne était morte. Tout s'enchaînait, sans un raté. Il n'avait même pas eu besoin de changer ses habitudes. Il eut le temps de préparer son repas, de déjeuner, de laver sa vaisselle et de remettre de l'ordre, enfin de se rafraîchir et de passer une chemise propre.

Il prit, au coin du Boulevard, le même autobus que la vieille Mlle Couvert quand elle était allée au commissariat du VIIIe, en descendit au Rond-Point des Champs-Elysées, ralentit le pas, avenue Montaigne, parce qu'il était un quart d'heure en avance.

Il fumait beaucoup. C'était le seul changement dans ses habitudes depuis trois jours. Il ne comptait plus ses cigarettes et il lui arrivait de les allumer l'une à l'autre.

Il n'était pas vexé que M. Jacques, comme il continuait à l'appeler à part lui, eût choisi, pour lui donner rendez-vous, le bar d'un palace. Ce n'était pas nécessairement pour le décontenancer, mais parce qu'il avait pensé qu'ils y seraient tranquilles.

Dans le hall, un homme en redingote grise, qui portait une chaîne d'argent en sautoir et qui était ganté de blanc, lui demandait avec politesse et fermeté tout ensemble :

— Vous cherchez, monsieur?

— Le bar.

— Il est fermé à cette heure.

— J'y ai rendez-vous avec M. Jacques Beaudoin.

— Au fond du hall, l'escalier de gauche... Je n'ai pas encore vu passer M. Beaudoin...

Il longeait les vitrines encadrées de métal doré, suivait la rampe de fer forgé, se trompait, apercevait des femmes dans un salon de coiffure, découvrait enfin une grande pièce sombre et fraîche, basse de plafond, aux profonds fauteuils de cuir.

Il n'y vit personne. Un léger frémissement de l'air indiquait que la pièce était climatisée. Quelque part, derrière le bar, où une porte était entrouverte, il entendait des bruits de fourchette et, après qu'il eut toussé plusieurs fois pour signaler sa présence, un garçon en veste blanche, jeune et blond, qui devait remplacer le barman aux heures creuses, fit son apparition, la bouche pleine. Il parlait le français avec un fort accent scandinave.

— Vous cherchez quelqu'un?

— J'ai rendez-vous avec M. Beaudoin.

— Vous êtes sûr que c'est maintenant?

— A trois heures.

Une petite horloge, entre les bouteilles, marquait exactement trois heures.

— Dans ce cas, il va venir. Prenez place.

Il se demandait quel fauteuil choisir quand un homme entra, sans chapeau, le cheveu rare, l'air affairé.

— Monsieur Jeantet, je suppose?

— Oui.

— Venez par ici, voulez-vous?... Tenez! Nous serons très bien à cette table...

C'était dans un recoin, loin du bar. L'homme s'asseyait, croisait les jambes en tirant sur son pantalon, prenait dans sa poche un étui à cigarettes en or qui portait son monogramme.

— Vous fumez?

— Merci.

M. Jacques lui tendait un briquet assorti à l'étui pour allumer sa cigarette et les deux hommes se touchaient presque.

— Je vous ai fait attendre?

— Non. Je venais d'arriver.

— J'ai préféré vous rencontrer ici qu'à mon bureau. Je suppose que vous comprenez pourquoi?

— Fort bien.

Beaudoin, mal à l'aise, observait Jeantet à la dérobée comme s'il ne parvenait pas à se faire une opinion. Ils devaient avoir à peu près le même âge et ils étaient nés à quelques kilomètres l'un de l'autre. L'un des deux avait l'habitude de donner des ordres, d'être écouté, et il était ici dans son cadre. C'était cependant celui qui se montrait le plus anxieux et le silence de son interlocuteur le déroutait.

— Puis-je savoir pourquoi vous avez demandé à me voir?

Il se tenait sur la défensive, craignant peut-être un chantage. Peut-être même, comme Gordes en avait eu un instant l'idée, mais lui, sans y croire, craignait-il que Jeantet fût armé?

Non seulement il ne l'était pas, mais c'était sans colère qu'il regardait intensément l'homme que Jeanne allait retrouver chaque mercredi rue de Berry et qui, pendant un an, avait payé la pension de Pierre.

Il devait mener une vie très active, trouver le temps, malgré ses affaires et les centaines de gens qui dépendaient de lui, de déjeuner et de dîner au restaurant, de fréquenter les théâtres et les cabarets, de recevoir dans son appartement de Neuilly, d'aller à Deauville, à Cannes, de chasser à l'automne, de conduire sa voiture sur les routes et de prendre l'avion comme d'autres prennent l'autobus.

— Vous l'aimiez? demandait-il enfin.

Il n'avait pas préparé la question. Elle venait de lui jaillir des lèvres et lui-même l'entendait comme si sa voix lui arrivait de loin, d'un autre monde.

Le garçon évita à Beaudoin l'embarras de répondre.

— Vous prendrez quelque chose, monsieur Beaudoin.

Celui-ci se tournait vers Jeantet comme vers un invité.

— Une fine?... Une liqueur?...

— Un verre d'eau minérale.

— Pour moi, n'importe quel jus de fruit.

Et, le garçon parti :

— C'est cela que vous vouliez me demander?

— Je ne sais pas... Non... J'avais surtout besoin de vous voir...

Maintenant qu'il l'avait vu, il croyait avoir compris. Il questionnait néanmoins à voix presque basse, comme à regret, parce que c'était plus fort que lui :

— Qu'est-ce qu'elle vous disait de moi?

— Si je comprends bien votre question, elle refusait de vous quitter et tenait à ce que vous ne sachiez jamais la vérité. Elle avait très peur de vous faire de la peine.

— Pourquoi?

Beaudoin commençait à donner des signes d'impatience, à présent qu'il s'était rendu compte que le mari de Jeanne n'était pas dangereux.

— Parce qu'elle s'était mis dans la tête qu'elle vous était indispensable.

— Elle vous a dit pourquoi?

— Vous tenez vraiment à ce que je précise?

— Non. Je voulais être sûr qu'elle vous en avait parlé.

— Si cela peut abréger un entretien que je trouve déplaisant, sachez que je n'ignore rien de votre vie ni de la sienne...

— Vous l'auriez épousée?

— Si cela avait été possible... Ceci, d'ailleurs, ne regarde que moi...

— Elle vous a écrit?

— Presque chaque jour.

Peu importait à Jeantet que Jeanne fût allée poster des lettres en cachette en faisant son marché.

— Je ne parle pas de ces lettres-là, mais de celle que la police vous a remise.

— La police ne m'a remis aucune lettre... Merci, Hans...

Il buvait une gorgée de jus de fruit. Jeantet, lui, n'éprouvait pas le besoin de toucher au quart Vichy glacé qu'on lui avait servi.

— Elle a pourtant écrit une lettre...

— Comment le savez-vous?

— La femme de chambre l'a vue... Un des inspecteurs l'a mise dans sa poche...

— Massombre, celui qui est venu à mon bureau?

— Je ne crois pas. Un autre. Peut-être l'inspecteur Sauvegrain.

— Cette lettre était pour moi?

— J'ai d'abord cru qu'elle m'était destinée.

— Et maintenant?

— Je ne sais plus. Je commence à me demander si je n'avais pas raison.

— C'est de cela que vous désiriez m'entretenir?

Il fit un signe d'assentiment, sans conviction.

— C'est tout?

— Elle ne vous a rien dit d'autre? Elle était très malheureuse avec moi?

M. Beaudoin prenait une cigarette, évitait cette fois d'en offrir, regardait l'heure, de loin, au-dessus du bar, se montrait plus sec, agressif.

— Vous ne saviez pas que vous l'étouffiez, non, avec votre soi-disant bonté? Permettez-moi de ne pas croire à tant d'inconscience de votre part, monsieur Jeantet. Il vous la fallait coupable, honteuse, misérable, parce que vous n'auriez pas supporté de vivre sous les yeux d'une femme normale...

Une vague de colère lui montait à la gorge, lui faisait serrer les poings dans son fauteuil, en face d'un Jeantet impassible qui avait l'air de sourire.

— C'est ça que vous êtes venu chercher ici? Espériez-vous peut-être que je vous plaindrais et que je vous demanderais pardon de vous avoir pris votre femme? Vous, vous ne lui avez rien donné. Vous lui avez tout demandé. Ne comprenez-vous donc pas qu'un être humain a besoin d'autre chose que de vivre entre quatre murs à longueur de journée en attendant que quelqu'un qui pense à autre chose daigne lui faire signe et lui tapoter le front d'une main distraite?

Il s'interrompait, du mépris plein les yeux.

— Je crois, en fin de compte, que c'est ce que vous aviez besoin qu'on vous dise. Vous n'êtes pas seulement un impotent. Vous êtes une sorte de monstre et, à ce moment même, vous êtes satisfait de vous-même au point de prendre un air béat. Il a fallu que vous voyiez, en chair et en os, celui que votre femme allait retrouver chaque semaine parce que son besoin de vivre était plus fort que tout, que sa pitié, que...

— Elle a prononcé le mot pitié?

— Tout à l'heure, je regrettais d'être venu. A présent, je m'en félicite. Peut-être, les derniers temps, avais-je un peu pitié, moi aussi...

Jeantet restait impassible et c'était impressionnant de le voir, immobile, dans un fauteuil qui n'était pas le sien, dans un cadre étranger, à fixer un homme de qui tout un monde le séparait.

Il questionnait d'une voix calme :

— Vous avez pensé à l'enfant?

Cela suffisait à démonter son interlocuteur.

— Je continuerai à payer, bien entendu. Il est possible, à cause de mon voyage, que je ne l'aie pas fait ce mois-ci. Il faudra que je demande à ma secrétaire...

— Je me suis chargé de la pension.

— Je vais vous rembourser.

— Non. Il ne s'agit pas d'argent.

— Si je comprends bien où vous voulez en venir, il m'est impossible, dans ma situation de famille...

— Je sais. Moi, je peux.

— Ce qui signifie?...

— Pas tout de suite, parce qu'il faut que le gamin s'habitue à cette idée... Il s'y fera petit à petit... Et, un jour...

Beaudoin n'était pas sûr de ce qu'il devait penser. Ne se demandait-il pas, soudain, s'il ne s'était pas trompé, s'il n'avait pas eu tort?

— Vous avez l'intention de l'adopter?

— Oui.

— Je ne vois pas comment je pourrais m'y opposer.

— Vous ne pouvez pas.

— Vous n'avez rien d'autre à me communiquer?

— Non. Sauf que Jeanne est enterrée à Esnandes.

— Je sais. Je sais aussi que vous n'y êtes pas allé.

— Et vous?

— Moi non plus. Mon cas est différent. En outre, j'étais à Boston.

— Oui...

Jacques Beaudoin s'était levé et, après l'avoir regardé une dernière fois de haut en bas, car Jeantet était resté dans son fauteuil, se dirigeait vers le bar.

— Vous mettrez les consommations sur mon compte, Hans.

— Oui, monsieur Beaudoin.

C'était fini. Presque fini. Pour le reste, Jeantet devait attendre près d'un mois, car il ne voulait pas monter au troisième étage. Il attendait que Mlle Couvert vienne chercher le prix de la pension.

Elle descendit à la date exacte, frappa à sa porte.

— Je vous demande pardon, mais nous sommes le 30 et...

— Entrez, mademoiselle Couvert. L'argent est prêt.

Il avait encore changé depuis la dernière fois et elle commençait à en être inquiète.

— Asseyez-vous...

— C'est que le gamin ne va pas tarder à rentrer de l'école...

— Justement... C'est de lui que je désire vous

entretenir... Ces derniers temps, au cours de nos rencontres dans l'escalier et dans la rue, j'ai commencé à l'apprivoiser...

— Vous lui avez donné un pistolet de *cow boy* et unè boîte de crayons de couleur... C'est vous aussi, n'est-ce pas, qui lui avez offert des glaces?...

— Il me déteste déjà moins...

— Où voulez-vous en venir avec lui?

— Petit à petit, il comprendra...

— Qu'est-ce qu'il faudra qu'il comprenne?

— Que je ne suis pas son ennemi et que je n'étais pas l'ennemi de sa mère... Que sa place, un jour, sera ici... Pas tout de suite, ne craignez rien... Je vous le laisserai encore un certain temps...

— Qu'est-ce que vous racontez?

— Que j'ai l'intention de l'adopter. J'en ai parlé à l'inspecteur Gordes...

— Il approuve?

— Il a été surpris, mais il a fini par comprendre et il m'aidera pour les formalités.

Elle n'en croyait pas ses oreilles, respirait plus vite.

— Ainsi, après la mère...

Elle regardait les murs autour d'elle, comme si c'étaient ceux d'une prison, comme si le logement avait été une sorte de trappe, de piège à êtres humains.

— Mais qu'est-ce que vous voulez donc en faire? s'écria-t-elle soudain, ne sachant plus à quel saint se vouer.

— Et vous? Oubliez-vous que, sans moi, il n'y aurait personne pour payer la pension?

Elle était vaincue. Un peu plus tard, elle se traînait dans l'escalier en marmonnant des syllabes indistinctes.

Il refermait la porte. Il était seul, pas pour longtemps, et, au lieu de s'asseoir dans son fauteuil, il s'approchait d'une des tables à dessin pour travailler à son alphabet inachevé qu'on appellerait un jour le caractère Jeantet.

-:-

Dans un petit appartement du quartier des Ternes, Mme Sauvegrain, qui était blonde et boulotte, avec des fossettes aux joues, rangeait dans un placard les vêtements d'été qui n'allaient plus servir avant l'année suivante. Certains revenaient de la blanchisserie, d'autres du nettoyage à sec et elle s'assurait qu'il ne manquait pas de boutons, passait machinalement la main dans les poches.

C'est ainsi qu'elle retira d'un pantalon clair, que son mari n'avait pas eu l'occasion de mettre depuis plusieurs semaines, ce qui avait dû être une enveloppe. Ce n'était plus qu'une masse cartonneuse jaunâtre, où on devinait qu'il y avait eu de l'écriture et où on déchiffrait quelques lettres imprimées qui avaient résisté au passage à la cuve.

H.TEL G..DE..A

Elle pensa tout de suite à l'*Hôtel Gardénia* car, quand son mari était revenu déjeuner, après une enquête dans l'hôtel où une femme était morte, elle lui avait dit :

— Tu ferais mieux de te changer avant de te mettre à table... Tes vêtements sentent le cadavre...

Il y avait des taches brunes sur le pantalon et elle se souvenait même qu'elle avait obligé son mari à prendre une douche pendant qu'elle préparait du linge et des vêtements propres.

Elle se demanda si elle devait lui parler de sa trouvaille. En fin de compte, elle décida de ne pas le faire, trouvant qu'il avait déjà trop tendance à se tracasser au sujet de son service.

Ainsi, l'inspecteur Sauvegrain, qui avait pensé à tout, sauf à ce pantalon-là, ne sut-il jamais ce que la lettre était devenue.

Jeantet, de son côté, ignora qu'il avait raison, que Jeanne avait bien écrit, qu'il aurait sans doute suffi de lire la lettre pour comprendre.

Mais avait-il eu besoin de ça?

FIN

Noland, le 15 juillet 1959.

OUVRAGES DE GEORGES SIMENON

AUX PRESSES DE LA CITÉ

COLLECTION MAIGRET

Mon ami Maigret
Maigret chez le coroner
Maigret et la vieille dame
L'amie de Mme Maigret
Maigret et les petits cochons sans queue
Un Noël de Maigret
Maigret au « Picratt's »
Maigret en meublé
Maigret, Lognon et les gangsters
Le revolver de Maigret
Maigret et l'homme du banc
Maigret a peur
Maigret se trompe
Maigret à l'école
Maigret et la jeune morte
Maigret chez le ministre
Maigret et le corps sans tête
Maigret tend un piège
Un échec de Maigret
Maigret s'amuse
Maigret à New York
La pipe de Maigret et Maigret se fâche
Maigret et l'inspecteur Malgracieux
Maigret et son mort
Les vacances de Maigret
Les Mémoires de Maigret
Maigret et la Grande Perche
La première enquête de Maigret
Maigret voyage
Les scrupules de Maigret
Maigret et les témoins récalcitrants
Maigret aux Assises
Une confidence de Maigret
Maigret et les vieillards
Maigret et le voleur paresseux
Maigret et les braves gens
Maigret et le client du samedi
Maigret et le clochard
La colère de Maigret
Maigret et le fantôme
Maigret se défend
La patience de Maigret
Maigret et l'affaire Nahour
Le voleur de Maigret
Maigret à Vichy
Maigret hésite
L'ami d'enfance de Maigret
Maigret et le tueur
Maigret et le marchand de vin
La folle de Maigret
Maigret et l'homme tout seul
Maigret et l'indicateur
Maigret et Monsieur Charles
Les enquêtes du commissaire Maigret (2 volumes)

LES INTROUVABLES

La fiancée du diable
Chair de beauté
L'inconnue
L'amant sans nom
Dolorosa
Marie Mystère
Le roi du Pacifique
L'île des maudits
Nez d'argent
Les pirates du Texas
La panthère borgne
Le nain des cataractes

ROMANS

Je me souviens
Trois chambres à Manhattan
Au bout du rouleau
Lettre à mon juge
Pedigree
La neige était sale
Le fond de la bouteille
Le destin des Malou
Les fantômes du chapelier
La jument perdue
Les quatre jours du pauvre homme
Un nouveau dans la ville
L'enterrement de Monsieur Bouvet
Les volets verts
Tante Jeanne
Le temps d'Anaïs
Une vie comme neuve
Marie qui louche
La mort de Belle
La fenêtre des Rouet
Le petit homme d'Arkhangelsk
La fuite de Monsieur Monde
Le passager clandestin
Les frères Rio
Antoine et Julie
L'escalier de fer
Feux rouges
Crime impuni
L'horloger d'Everton
Le grand Bob
Les témoins
La boule noire
Les complices
En cas de malheur
Le fils
Le nègre
Strip-tease
Le président
Dimanche
La vieille
Le passage de la ligne
Le veuf
L'ours en peluche
Betty
Le train
La porte
Les autres
Les anneaux de Bicêtre
La rue aux trois poussins
La chambre bleue
L'homme au petit chien
Le petit saint
Le train de Venise
Le confessionnal
La mort d'Auguste
Le chat
Le déménagement
La main
La prison
Il y a encore des noisetiers
Novembre
Quand j'étais vieux
Le riche homme
La disparition d'Odile
La cage de verre
Les innocents

SÉRIE POURPRE

Le voyageur de la Toussaint
La maison du canal
La Marie du port

OUVRAGES DE GEORGES SIMENON

AUX PRESSES DE LA CITÉ (suite)

« TRIO »

I. — La neige était sale — Le destin des Malou — Au bout du rouleau
II. — Trois chambres à Manhattan — Lettre à mon juge — Tante Jeanne
III. — Une vie comme neuve — Le temps d'Anaïs — La fuite de Monsieur Monde
IV. — Un nouveau dans la ville — Le passager clandestin — La fenêtre des Rouet
V. — Pedigree
VI. — Marie qui louche — Les fantômes du chapelier — Les quatre jours du pauvre homme
VII. — Les frères Rico — La jument perdue — Le fond de la bouteille
VIII. — L'enterrement de M. Bouvet — Le grand Bob — Antoine et Julie

PRESSES POCKET

Monsieur Gallet, décédé
Le pendu de Saint-Pholien
Le charretier de la Providence
Le chien jaune
Pietr-le-Letton
La nuit du carrefour
Un crime en Hollande
Au rendez-vous des Terre-Neuvas
La tête d'un homme
La danseuse du gai moulin
Le relais d'Alsace
La guinguette à deux sous
L'ombre chinoise
Chez les Flamands
L'affaire Saint-Fiacre
Maigret
Le fou de Bergerac
Le port des brumes
Le passager du « Polarlys »
Liberty Bar
Les 13 coupables
Les 13 énigmes
Les 13 mystères
Les fiançailles de M. Hire
Le coup de lune
La maison du canal
L'écluse n° 1
Les gens d'en face
L'âne rouge
Le haut mal
L'homme de Londres

A LA N.R.F.

Les Pitard
L'homme qui regardait passer les trains
Le bourgmestre de Furnes
Le petit docteur
Maigret revient
La vérité sur Bébé Donge
Les dossiers de l'Agence O
Le bateau d'Émile
Signé Picpus
Les nouvelles enquêtes de Maigret
Les sept minutes
Le cercle des Mahé
Le bilan Malétras

ÉDITION COLLECTIVE SOUS COUVERTURE VERTE

I. — La veuve Couderc — Les demoiselles de Concarneau — Le coup de vague — Le fils Cardinaud
II. — L'Outlaw — Cour d'assises — Il pleut, bergère... — Bergelon
III. — Les clients d'Avrenos — Quartier nègre — 45° à l'ombre
IV. — Le voyageur de la Toussaint — L'assassin — Malempin
V. — Long cours — L'évadé
VI. — Chez Krull — Le suspect — Faubourg
VII. — L'aîné des Ferchaux — Les trois crimes de mes amis
VIII. — Le blanc à lunettes — La maison des sept jeunes filles — Oncle Charles s'est enfermé
IX. — Ceux de la soif — Le cheval blanc — Les inconnus dans la maison
X. — Les noces de Poitiers — Le rapport du gendarme G. 7
XI. — Chemin sans issue — Les rescapés du « Télémaque » — Touristes de bananes
XII. — Les sœurs Lacroix — La mauvaise étoile — Les suicidés
XIII. — Le locataire — Monsieur La Souris — La Marie du Port
XIV. — Le testament Donadieu — Le châle de Marie Dudon — Le clan des Ostendais

MÉMOIRES

Lettre à ma mère
Un homme comme un autre
Des traces de pas
Les petits hommes
Vent du nord vent du sud
Un banc au soleil
De la cave au grenier
A l'abri de notre arbre
Tant que je suis vivant
Vacances obligatoires
La main dans la main
Au-delà de ma porte-fenêtre
Je suis resté un enfant de chœur
A quoi bon jurer ?
Point-virgule
Le prix d'un homme
On dit que j'ai soixante-quinze ans
Quand vient le froid
Les libertés qu'il nous reste
La Femme endormie
Jour et nuit
Destinées
Quand j'étais vieux
Mémoires intimes

Achevé d'imprimer en octobre 1991
sur les presses de l'Imprimerie Bussière
à Saint-Amand (Cher)

PRESSES POCKET - 12, avenue d'Italie - 75627 Paris
Tél. : 44-16-05-00

— N° d'imp. 3086. —
Dépôt légal : 3e trimestre 1965.

Imprimé en France